To Lance,
In the hope
of better days.
Um abraço,

Valsa brasileira

Laura Carvalho

Valsa brasileira

Do boom ao caos econômico

todavia

Agradecimentos

O diagnóstico apresentado neste livro se beneficiou muito das discussões realizadas no âmbito do Grupo de Trabalho de Macroeconomia da Sociedade Brasileira de Economia Política (SEP) e, em particular, das conversas com o professor Fernando Rugitsky, com quem escrevi o artigo "Growth and Distribution in Brazil in the 21st Century".[1]

O livro também contou com a excelente assistência de pesquisa de Adriano Oliveira, viabilizada pela Fundação Instituto de Pesquisas Econômicas (Fipe) da Universidade de São Paulo. Agradeço também ao CNPq pelo apoio à minha pesquisa acadêmica.

A Luiz Antônio Carvalho, Renan Quinalha e Mario Sergio Conti, deixo os meus mais sinceros agradecimentos pela leitura atenta e os comentários pertinentes.

Os artigos que publiquei na *Folha de S. Paulo* entre julho de 2015 e dezembro de 2017 serviram de base para diversos trechos do livro. Agradeço ao jornal pelo espaço e principalmente aos leitores da coluna pelos comentários, críticas e incentivos.

A responsabilidade pelas deficiências e erros remanescentes é toda minha, é claro.

1 O artigo está disponível em http://www.repec.eae.fea.usp.br/documentos/Carvalho_Rugitsky_25WP.pdf.

Introdução

Como a economia de um país continental evoluiu, em apenas sete anos, da euforia de um cenário de crescimento bem acima da média das últimas décadas, com vigorosa geração de empregos formais e alguma redução das desigualdades, para uma das maiores crises de sua história?

Para alguns, tudo não passou de uma ilusão. A economia brasileira só cresceu de forma mais acelerada porque foi favorecida, entre 2003 e 2011, pela alta nos preços das commodities que exportamos: petróleo, minério de ferro e soja. Desde então, voltamos ao desemprego alto, à ampliação das desigualdades e ao baixo crescimento que caracterizavam o país desde as chamadas décadas perdidas. De acordo com essa visão, o Brasil deu sorte por quatro ou cinco anos, mas o azar voltou a prevalecer.

Para outros, o que houve foi uma sucessão de erros. O maior crescimento nos anos 2000 seria mera consequência das condições macroeconômicas criadas no fim da década de 1990, após a estabilização dos preços e a adoção do famoso tripé macroeconômico composto pelo regime de metas de inflação, pelas metas de superavit primário e pela taxa de câmbio flutuante. A utilização exagerada do Estado como promotor da distribuição de renda e do crescimento econômico é que teria levado ao colapso. A solução para a crise estaria, portanto, na volta e no aprofundamento do modelo adotado nos anos 1990.

Há ainda os que consideram que não foi nem uma coisa, nem outra. A crise econômica seria essencialmente política, causada pela propaganda negativa da imprensa, pela má-fé do Congresso ou até mesmo por um boicote do empresariado financista. Nesse caso, não seriam os erros do governo Lula ou Dilma Rousseff os responsáveis pela crise, mas, ao contrário, seus acertos, pelo incômodo que provocaram nas elites econômicas e financeiras do país.

Uma crise dessas proporções não pode ter uma única causa. Entre os fatores que explicam o crescimento inclusivo que o país experimentou durante os anos 2000, há um pouco de sorte e alguns acertos. Da mesma forma, entre os fatores que explicam a desaceleração econômica e a crise que se segue, há um pouco de azar e erros significativos.

A compreensão do vaivém da economia brasileira na última década pede diagnósticos que descartem o Fla-Flu político e as comparações simplistas entre economia nacional e economia doméstica. Se combinar crescimento econômico, estabilidade de preços e da dívida pública, redução das desigualdades e sustentabilidade ambiental dependesse apenas da fidelidade a um receituário simples e já velho conhecido de todos, países ricos e pobres ao redor do mundo não enfrentariam tantas contradições e dificuldades até hoje.

Entre 2004 e 2010, o Brasil conseguiu obter, junto com as taxas mais altas de crescimento, uma redução das desigualdades sociais e regionais, o aumento sustentado dos salários, a elevação do nível de emprego formal, a melhoria das contas públicas e externas, tudo isso mantendo a taxa de inflação sob controle. O investimento cresceu em média 6,7% ao ano no período, superando até mesmo o crescimento do consumo, que foi de 4,5% anuais.

O que a análise dos dados e eventos parece sugerir é que o modelo de crescimento que vigorou no Brasil nos anos 2000 precisava superar obstáculos importantes para se sustentar ao longo do tempo, mas não estava, de antemão, condenado ao esgotamento. Em vez da superação dos desafios, optou-se pela adoção de uma política econômica, em boa parte, equivocada.

Não foi o excesso de intervencionismo que nos trouxe de volta para o túnel infinito da austeridade, mas sim o tipo de desenvolvimentismo – aqui desculpo-me com os imortais Raúl Prebisch e Celso Furtado por usar o termo de forma tão ampla – que orientou a política econômica desde 2011.

O Estado havia sido decisivo na expansão do mercado interno brasileiro entre 2006 e 2010, através de políticas de transferência de renda e aumento do salário mínimo, junto com a ampliação dos investimentos em infraestrutura física e social. No entanto, no final do segundo mandato do presidente Lula, crescia a visão de que tal estratégia de crescimento, erroneamente interpretada como "liderada pelo consumo", era insustentável. Empresários do setor industrial e boa parte dos economistas defendiam medidas que reduzissem os custos das empresas nacionais e elevassem sua competitividade diante da concorrência estrangeira.

A presidente Dilma atende a tais demandas: reduz a taxa de juros, desvaloriza o real e subsidia a lucratividade dos empresários por meio de desonerações tributárias, controle de tarifas energéticas e crédito a juros mais baixos. Essas medidas, de alto custo e pouco eficazes no estímulo ao crescimento, têm impacto negativo sobre as receitas do governo e dificultam a estabilização da dívida pública. O fim da história nós conhecemos bem: manobras fiscais, um impeachment vendido como solução para a crise e, desde então, um país dedicado a jogar fora, junto com a água suja do banho, o bebê e a bacia.

A valsa brasileira que vamos apresentar começa com a análise dos pilares que sustentaram o Milagrinho dos anos 2006-10, quando o país deu um passo à frente. Ainda que houvesse limites à continuidade de tal processo, a adoção da Agenda Fiesp entre 2011 e 2014 – o conjunto de medidas desenhadas para beneficiar o setor industrial, frequentemente chamado de "Nova Matriz Econômica" – representou um passo ao lado. A dança evolui para o grande passo atrás dos anos 2015-6, voltado para o desmonte acelerado do frágil Estado de bem-estar social brasileiro.

Tabela 1 – Taxa de crescimento anual de variáveis selecionadas para a economia brasileira em cinco subperíodos

	1999-2002	2003-2005	2006-2010	2011-2014	2015-2016
Salário mínimo (% ao ano, em termos reais)	1,8	6,8	5,9	3,0	1,2
Preço das commodities – FMI (% ao ano)	10,3	19,1	10,5	-7,0	-6,5
Investimentos federais (% ao ano, em termos reais)	-2,0	-4,7	27,6	1,0	-28,4
PIB (% ao ano, em termos reais)	2,3	3,4	4,5	2,3	-3,5
Consumo das famílias (% ao ano, em termos reais)	1,6	2,6	5,8	3,5	-3,8
Investimento total (% ao ano, em termos reais)	-1,2	2,0	9,1	2,2	-12,1
Exportações (% ao ano, em termos reais)	8,5	11,7	2,5	1,6	4,3
Inflação – IPCA (% ao ano)	8,8	7,5	4,7	6,2	8,5

Fontes: FMI (Primary Commodity Prices Index); IBGE (Contas Nacionais Trimestrais e Pesquisa Nacional por Amostra de Domicílios); Orair (2016); Ipeadata. As taxas anualizadas são as que seriam observadas caso a economia tivesse crescido ao mesmo ritmo em cada ano do subperíodo.

1.
O Milagrinho brasileiro: um passo à frente

As altas taxas de crescimento da economia chinesa e sua demanda crescente pelas chamadas commodities (como petróleo, minérios e produtos agrícolas) tiveram impacto positivo[1] e beneficiaram o conjunto das economias latino-americanas no alvorecer do século XXI. Essa sorte explica boa parte do que o economista Edmar Bacha denominou Milagrinho brasileiro: nossa economia saltou de uma taxa anual de crescimento média de 2,1% nos anos 1980 e 1990 para 3,7% na década de 2000.

Na contramão do ocorrido na maior parte dos países ricos no mesmo período, esse crescimento no Brasil e em outros países da América Latina foi marcado pela redução em diversos indicadores de desigualdade e expansão do nível de emprego formal.

O cenário externo favorável fez toda a diferença nesse desempenho, assim como o cenário externo desfavorável faria toda a diferença no que aconteceu depois. Mas a sorte não basta para explicar o tipo e a qualidade do crescimento que tivemos. As políticas redistributivas e os investimentos públicos em infraestrutura física e social também foram fundamentais nesse processo.

1 O índice geral do Fundo Monetário Internacional (FMI) indica que os preços das commodities cresceram 326% entre dezembro de 2001 e abril de 2011, mesmo com os oito meses de queda a partir do segundo semestre de 2008, no auge da crise financeira internacional.

No caso brasileiro, a reorientação da política econômica foi promovida de forma amena e gradual. Entre 2003 e 2005, durante o primeiro governo Lula, a principal novidade se deu no âmbito das políticas de transferência de renda, expandidas e universalizadas com a criação do programa Bolsa Família.

Afinal, com o pânico financeiro gerado pelo temor de uma mudança brusca na política econômica tendo levado o dólar de 2,60 reais no início de 2002 a 4 reais às vésperas da eleição de Lula, o presidente eleito já tinha avisado, em sua Carta ao Povo Brasileiro, que a "margem de manobra da política econômica no curto prazo [seria] pequena".

Enquanto o Ministério da Fazenda, sob o comando de Antonio Palocci, concentrou-se em promover um forte ajuste fiscal para atingir metas mais altas de superavit primário – a diferença entre receitas e despesas do governo, excluindo-se o pagamento de juros –, o Banco Central, presidido por Henrique Meirelles, tratou de manter a taxa de juros em patamar elevado.

Em discurso proferido em dezembro de 2003 no jantar anual da Federação Brasileira de Bancos (Febraban),[2] Meirelles defendeu a seguinte estratégia:

> O choque do ano passado provocou uma aceleração da inflação sem precedentes na história brasileira. O índice da inflação quintuplicou em poucos meses. [...] Conseguimos afastar a ameaça do retorno da aceleração inflacionária. Restabelecemos a confiança através de um processo determinado de ajuste fundado na responsabilidade fiscal (com a fixação e o cumprimento de uma meta de superavit fiscal de 4,25% do PIB para 2003 e os anos seguintes) e na estabilidade macroeconômica (com o regime de metas de inflação e o câmbio flutuante).

2 http://www.bcb.gov.br/pec/appron/Pron/Port/jantar.pdf

Defendendo-se dos que clamavam por um maior crescimento da economia, Meirelles alertou:

> neste momento entre o passado e o futuro em que o velho já vai saindo de cena mas o novo ainda não se instalou de todo, é compreensível uma certa dose de ansiedade. Todos queremos um país melhor. Infelizmente, na vida real muitas vezes a rapidez não é boa companheira da eficácia.

É difícil saber o que teria ocorrido caso o governo Lula tivesse adotado, logo de início, uma política econômica mais ousada. Se, de um lado, o conservadorismo na área econômica ajudou a acalmar os ânimos de parte das elites econômico-financeiras do país, de outro, a esperança de boa parte da base que elegeu Lula era de que o governo obteria resultados mais expressivos do que os de seu antecessor. O crescimento baixo da economia em 2003 - de 1,1% apenas - serviu para insuflar as críticas dos que esperavam uma virada.

Em manifesto divulgado em março de 2004, a Executiva Nacional do Partido dos Trabalhadores (PT) defendeu mudanças mais profundas: "O PT propõe que o governo faça uma inflexão maior na política econômica no sentido de priorizar as tarefas e as medidas voltadas para a retomada do desenvolvimento, com geração de emprego e distribuição de renda".[3] Dentro do governo, a agenda econômica também era objeto de divergências entre o ministro da Casa Civil, José Dirceu, e o ministro da Fazenda, Antonio Palocci.[4]

Mas as preocupações com a falta de crescimento não eram apenas da cúpula ou de alas mais à esquerda do PT. Em entrevista ao jornal *Folha de S. Paulo* em 15 de março de 2004, o então

3 http://www1.folha.uol.com.br/fsp/brasil/fc0603200402.htm
4 http://www1.folha.uol.com.br/fsp/dinheiro/fi2210200404.htm

presidente da Federação das Indústrias do Estado de São Paulo (Fiesp), Horácio Lafer Piva, também atribuiu a recuperação lenta ao excesso de conservadorismo da política macroeconômica:

> o governo fez um trabalho importante de ajuste nos primeiros seis meses do ano passado, mas depois exagerou na dose desse aperto. O grande problema é que a ideia de crescimento tem sido adiada de forma sistemática. O tal do "espetáculo do crescimento", que foi anunciado em junho, não aconteceu.[5]

Em outro trecho da entrevista, Lafer foi além: "há espaço para ser um pouco mais ousado, reduzindo, por exemplo, a taxa de juros [a Selic estava em 16,5% ao ano]. O Banco Central tem todos os instrumentos para ir testando limites inferiores de juros".

O crescimento de 5,8% do PIB em 2004 deu novo fôlego à equipe econômica. Quando da divulgação dos números do Instituto Brasileiro de Geografia e Estatística (IBGE) em março de 2005, Palocci concedeu entrevista coletiva[6] e defendeu as sucessivas elevações da taxa básica de juros pelo Banco Central desde setembro de 2004. "O tempo mostrou que as iniciativas do Copom [o Comitê de Política Monetária, que àquela altura havia elevado a Selic de 16% para 18,75% ao ano] se mostraram acertadas", afirmou.

O então ministro da Fazenda também respondeu aos que duvidavam de que o ritmo mais acelerado de crescimento seria mantido nos anos seguintes: "não há nenhuma possibilidade de 'voos de galinha'", afirmou Palocci, referindo-se aos períodos curtos de crescimento econômico que marcaram a economia brasileira desde a década de 1980.

5 http://www1.folha.uol.com.br/fsp/brasil/fc1503200421.htm
6 http://www1.folha.uol.com.br/fsp/dinheiro/fi0203200521.htm

A história que os dados contam é bem diferente. O crescimento mais alto de 2004 foi puxado sobretudo pela expansão de 14,5% nas exportações do país, que dificilmente poderia ser atribuída à política econômica interna. No ano seguinte, o crescimento já foi bem mais modesto. A expansão da economia em 2005 foi de 3,2%, ainda liderada pelas exportações, que cresceram 9,6% no ano. Os investimentos, que haviam crescido 8,5% em 2004, cresceram apenas 2%.

Em meio à crise política desencadeada pela saída de José Dirceu do governo em junho de 2005 – acusado pelo deputado Roberto Jefferson (PTB-RJ) de comandar o esquema de compra de votos de parlamentares que ficou conhecido como Mensalão –, essa desaceleração foi suficiente para que as críticas à equipe econômica recrudescessem. O conflito interno entre Ministério da Casa Civil e Ministério da Fazenda continuou após a substituição de José Dirceu por Dilma Rousseff. Em novembro de 2005, a então ministra já criticava o ajuste fiscal excessivo de Palocci: o superavit primário ficou acima dos 4,25% do PIB previstos na meta fiscal do ano.[7]

Em dezembro de 2005, o ministro do Trabalho Luiz Marinho chegou a afirmar em entrevista ao jornal *Folha de S. Paulo*[8] que o excesso de zelo na política econômica era "perigoso" para a reeleição de Lula no ano seguinte. "O excesso de conservadorismo ficou demonstrado neste ano pelo resultado do PIB no terceiro trimestre [queda de 1,2%]. Isso estava visível que aconteceria. Poderíamos ter saído melhor neste ano se não tivesse havido esse exagero do freio do Banco Central", completou. Indagado sobre se seria possível "convencer Palocci e Meirelles a mudar a tempo", Marinho respondeu: "vamos convencer, nem que seja na marra".

7 http://www1.folha.uol.com.br/folha/dinheiro/ult91u101871.shtml
8 http://www1.folha.uol.com.br/fsp/dinheiro/fi1112200513.htm

As cobranças por um ritmo maior de crescimento econômico chegaram ao debate eleitoral de 2006. O candidato de oposição Geraldo Alckmin, por exemplo, fez questão de ressaltar que o Brasil crescia abaixo da média mundial, ficando à frente apenas do Haiti. "Ora, o Brasil não pode ser o último da fila dos emergentes", comparou o peessedebista. "O candidato Lula prometeu 10 milhões de empregos e não chegou nem à metade", lembrou Alckmin.[9]

"Eu tenho medo" foi a frase da atriz Regina Duarte diante da possível vitória eleitoral de Lula em 2002. Na disputa, Lula foi apresentado como um perigo para a estabilidade alcançada com o Plano Real. A Carta ao Povo Brasileiro ajudou a incorporar na plataforma lulista diversos setores da classe média e do empresariado, representado na chapa pelo vice-presidente José Alencar. O governo-ônibus abrigava do PT, que logo expurgaria seus dissidentes mais radicais, ao Partido Progressista (PP), de Francisco Dornelles e Paulo Maluf.

Curiosamente, ao longo do primeiro governo Lula, alguns desses mesmos setores deslocaram suas críticas à inexperiência e irresponsabilidade do PT para o ritmo insuficiente de crescimento. Ajudaram assim a criar as bases para uma política econômica voltada para o crescimento maior.

É verdade que o crescimento econômico, que foi em média de 2% ao ano entre 1995 e 2003, já tinha subido para 5,8% em 2004 e 3,2% em 2005. Mas, como vimos, essa expansão inicial foi liderada pelo boom de exportações, criado pela maior demanda mundial por nossos produtos.

Foi só depois da renúncia de Antonio Palocci do Ministério da Fazenda – fruto do escândalo envolvendo a quebra do sigilo

9 http://brasil.estadao.com.br/noticias/geral,alckmin-promete-reduzir-gastos-da-maquina-e-impostos,20060829p67311

bancário do caseiro Francenildo Costa[10] – e, sobretudo, de medidas implementadas durante o segundo mandato de Lula, que o crescimento das exportações perdeu influência e o mercado interno começou a crescer mais rápido, graças à expansão do consumo das famílias e dos investimentos.[11]

Além da distribuição de renda na base da pirâmide, a política econômica teve dois outros pilares que alimentariam esse processo de crescimento mais inclusivo e com grande apelo junto à opinião pública: maior acesso ao crédito e maiores investimentos públicos em infraestrutura física e social. Estavam dadas as condições políticas para o Milagrinho.

O pilar da distribuição de renda

Criado em 2003 pelo governo federal, o Programa Bolsa Família atendia 3,6 milhões de famílias em janeiro de 2004. Em 2010, o número de beneficiados já chegava a 12,8 milhões.[12] Mesmo respondendo por uma parcela pequena da renda total das famílias brasileiras – cerca de 0,4% em 2003 e 1,28% em 2011 –, o programa foi responsável por uma redução substantiva nos índices de pobreza e, assim, na desigualdade de renda

10 A quebra do sigilo bancário do caseiro Francenildo Costa, que era testemunha de acusação contra Palocci na CPI dos Bingos, levou à demissão do ministro da Fazenda e do presidente da Caixa Econômica Federal, Jorge Mattoso, em março de 2006. **11** As exportações brasileiras cresceram 14,5% em 2004 e 9,6% em 2005, ante um crescimento de 3,9% e 4,4% no consumo das famílias, respectivamente. No biênio 2006-7, as exportações cresceram apenas 11,5% no acumulado, ante 12,6% de crescimento no consumo das famílias e 23,5% no investimento. **12** Em agosto de 2017, o número de famílias atendidas era de 13,5 milhões. O programa atende a população em situação de pobreza e extrema pobreza. As contrapartidas para recebimento do benefício incluem a frequência escolar de crianças e jovens e o acompanhamento médico de gestantes e crianças da família.

no Brasil. Os estudos econométricos especializados sugerem que entre 10 e 31% da queda no índice de Gini, que mede a desigualdade, deveu-se aos efeitos desse programa.[13]

O salário mínimo, que já vinha ganhando poder de compra desde 1995 com o controle da inflação, se valorizou mais rápido a partir de 2005, como mostra a Tabela 1, na página 12.

Ainda que a lei de valorização do salário mínimo, que estabeleceu reajustes anuais para repor a inflação do ano anterior e a média do crescimento do PIB dos dois anos anteriores, só tenha sido aprovada em 2011, o governo passou a aplicar a regra, na prática, desde 2008, por meio de medidas provisórias. As marchas a Brasília organizadas pelas centrais sindicais em 2004, 2005 e 2006 também já tinham contribuído para garantir aumentos maiores do salário mínimo nos anos de 2005, 2006 e 2007, antes de a regra, negociada com as centrais no fim de 2006, ser implementada.

Lembrando sempre que, no Brasil, é grande o contingente de assalariados ou beneficiários da seguridade social que recebem valor igual ou próximo ao salário mínimo,[14] a literatura empírica identifica dois efeitos principais da valorização do salário mínimo sobre a distribuição da renda. O primeiro é o deslocamento de toda a distribuição salarial, isto é, o salário médio e a participação dos salários na renda da economia também se elevam. O segundo

13 Sobre os efeitos do Bolsa Família na redução da desigualdade, ver, por exemplo, estudos de Hoffman (2006, 2013); Barros et al. (2007); Soares et al. (2010). 14 O salário mínimo não apenas é o menor salário do mercado de trabalho, mas também serve como piso para os benefícios da Previdência (aposentadorias, pensões e auxílios, conforme o art. 201, § 2º da Constituição) e para o Benefício de Prestação Continuada (BPC, conforme o art. 203, V). Em 2015, quase dois terços dos benefícios da Previdência Social possuíam o valor de um salário mínimo, totalizando mais de 17 milhões de benefícios. Destaca-se ainda o contingente de 9 milhões de beneficiários da clientela rural e os 4 milhões de beneficiários do BPC, segundo dados do *Boletim Estatístico da Previdência Social*, vol. 20, n. 1, jan. 2015. Disponível em: http://www.previdencia.gov.br/estatisticas/.

é a compressão da distribuição de renda, ou seja, a redução da diferença entre o salário mínimo e o salário médio da economia. Em outras palavras, diminui a disparidade salarial, a diferença entre quanto ganha o trabalhador mais pobre e quanto ganha em média o conjunto de trabalhadores da economia.

No que tange às alterações na chamada distribuição funcional da renda, que mede o quanto da renda gerada no país fica com os capitalistas sob a forma de lucros e o quanto fica com os trabalhadores sob a forma de salários e outras remunerações do trabalho, nota-se que, entre 2001 e 2004, a fatia dos lucros na renda nacional cresceu de forma contínua, passando de 45,2% para 47,5%. A partir daí, a participação dos rendimentos do trabalho na renda total aumentou a cada ano, à exceção de 2010, passando de 52,5% em 2004 para 57,4% em 2013.[15]

Mas a principal mudança distributiva observada no período pode ser analisada por meio das alterações no grau de disparidade entre as remunerações dos diferentes trabalhadores do mercado formal. Diferentemente do Gini para o total da renda, que inclui rendimentos financeiros, aluguéis e outras formas de renda oriundas do capital, o índice de Gini para salários passa por uma redução substancial e contínua nos anos 2000, o que indica queda da desigualdade salarial. E essa redução se dá sobretudo na base da distribuição: o salário dos 10% mais pobres aumenta em relação ao salário médio ou mediano.

O papel primordial da valorização do salário mínimo nesse processo é confirmado por diversos estudos econométricos da área. Komatsu (2013), por exemplo, estima que entre 2007 e 2011 68,6% da redução da desigualdade salarial entre homens medida pelo índice de Gini deveu-se a aumentos do salário mínimo.

15 Para a série completa e uma discussão aprofundada sobre as diferentes metodologias de cálculo da parcela de salários na renda, ver Martins (2017).

Como se sabe, o chamado Milagre econômico do período 1968-73 da ditadura militar teve taxas mais altas de crescimento do que as do Milagrinho, mas acompanhadas pela ampliação das desigualdades. Para usar a linguagem da época, o bolo cresceu mas não podia ainda ser dividido. Maria da Conceição Tavares e José Serra apresentaram um diagnóstico sobre tal modelo de crescimento no artigo "Além da estagnação", publicado em 1971.[16] No círculo virtuoso descrito pelos autores, cresceram setores de bens industrializados mais sofisticados (como linha branca, automobilística), que, por sua vez, empregavam uma mão de obra relativamente qualificada. O crescimento do salário desses trabalhadores aumentava a própria demanda por bens industrializados, reforçando o processo. Como os salários dessa mão de obra eram maiores que a remuneração média da economia, tal processo cumulativo de crescimento ampliou as desigualdades salariais na economia brasileira.

Em outras palavras, a demanda por produtos sofisticados exigia trabalhadores relativamente mais qualificados e elevava os salários desses trabalhadores em relação aos da base da pirâmide. A espiral ia, portanto, do padrão de consumo das famílias para a estrutura produtiva e de emprego da economia e, daí, para o incremento da desigualdade.

O mesmo nexo causal pode ser encontrado no período entre 2006 e 2010. Só que, dessa vez, o crescimento maior trouxe consigo uma redução das desigualdades. As transferências de renda via Bolsa Família, a valorização mais acelerada do salário mínimo e a inclusão no mercado de consumo de uma parte significativa da população brasileira levaram à expansão de setores cuja produção demandava uma mão de obra menos qualificada. É o caso de muitos setores de serviços e da construção civil, que cresceram de forma expressiva no período. Como

16 Tavares e Serra (1971/1976).

esses setores empregam muitos trabalhadores menos instruídos, o grau de formalização e os salários na base da pirâmide subiram mais ainda, reforçando o processo.

Ao provocar um aumento mais acelerado dos salários nas ocupações que exigiam menor qualificação, tais alterações no padrão de consumo e na estrutura produtiva colaboraram com o círculo virtuoso de dinamismo do mercado interno e do mercado de trabalho que vigorou até 2010.[17]

Em resumo, o processo de redução de desigualdades no Brasil durante esse período explica-se, essencialmente, por mudanças na base da pirâmide, resultado em boa parte das políticas de transferência de renda e de valorização do salário mínimo. Essas transformações, por sua vez, repercutiram no padrão de consumo das famílias brasileiras: produtos e serviços antes consumidos apenas pelos mais ricos passaram a ser consumidos também pela população de baixa renda.

Tais mudanças levaram, por exemplo, à queda na participação de alimentos e artigos de vestuário no consumo total e ao aumento na participação relativa de habitação, transporte, saúde, higiene, serviços e cuidados pessoais. O peso de hábitos de consumo que permaneceram restritos aos grupos mais ricos, como educação, lazer, cultura e fumo, caiu em relação aos demais.

Essas evidências podem ser explicadas pela chamada Lei de Engel, que postula que o padrão de consumo das famílias se altera de acordo com o crescimento da renda. Em particular, famílias com menor renda direcionariam uma maior parcela para insumos básicos de sobrevivência, como a alimentação,

17 Devido ao seu caráter inclusivo, Rugitsky (2015) chama tal processo de antimilagre, em oposição ao milagre econômico concentrador de renda dos anos da ditadura militar.

ao passo que famílias com renda superior reservariam uma fatia maior para serviços.[18]

Assim, conforme o seu nível de renda foi aumentando, as famílias da base da pirâmide conseguiram incorporar cada vez mais serviços em sua cesta de consumo. Nesse sentido, o aumento da participação dos serviços no PIB, assim como a redução no peso da indústria,[19] deveu-se, em parte, às transformações na distribuição de renda e no consumo das famílias, na medida em que o maior uso de mão de obra menos qualificada é uma característica dos setores de serviços que cresceram muito nesse período, tais como restaurantes e salões de beleza. É o caso também da construção civil.

Se compararmos o aumento dos salários nos setores de baixa produtividade (na maior parte, serviços) com aquele nos setores de alta produtividade (na maior parte, indústria), os primeiros cresceram muito mais ao longo daqueles anos. Ou seja, a estrutura geral de salários parece ter acompanhado a alteração de padrão de consumo, reforçando a redução de desigualdades. Quanto maior era a demanda por trabalhadores menos qualificados, mais esses trabalhadores ganhavam poder de barganha no mercado de trabalho, elevando suas remunerações em relação aos demais.

18 A Lei de Engel pode ajudar a explicar o fato de que, em geral, após um primeiro estágio do desenvolvimento econômico em que a agricultura é dominante, tanto em termos da proporção de pessoas empregadas quanto da participação no PIB, a indústria passa a ganhar importância, e é posteriormente substituída pelo setor de serviços, em uma terceira fase. Assim, nos países ricos, a maior parte da mão de obra está empregada nos setores de serviços.

19 O auge da participação da indústria na economia foi de 24,3% em 2004, sendo 15,1% referentes à indústria de transformação e 4,2% ao setor de construção. Os serviços representavam 54,9% do PIB naquele ano. Em 2010, a participação da indústria de transformação no PIB já havia caído para 12,7%, dada a perda de espaço para os setores de construção (5,3%) e serviços (57,6%).

Nesse sentido, a distribuição de renda na base da pirâmide que experimentamos nos anos 2000 não foi apenas o resultado de políticas, mas também da própria dinâmica de crescimento da economia brasileira. O crescimento centrado em serviços e construção civil, embora não tenha ajudado a promover avanços tecnológicos e ganhos de produtividade para a economia brasileira, teve o claro benefício de incluir no mercado de trabalho formal uma mão de obra menos qualificada, que o país tem em abundância, elevando seu poder de barganha e salários em relação aos dos demais trabalhadores.

O pilar do acesso ao crédito

Não foi só pela renda, entretanto, que se deu a redução das desigualdades e o estímulo ao consumo nos anos do Milagrinho. O país também passou por um processo expressivo de inclusão financeira.

O saldo acumulado de operações de crédito, que representava 25,5% do PIB em janeiro de 2002, alcançou 49,2% do PIB em dezembro de 2012. Dentro desse total, o saldo da carteira de crédito de pessoas físicas aumentou dez pontos percentuais em relação ao PIB nos últimos dez anos, passando de 14% em março de 2007 para mais de 24,9% em dezembro de 2016. Esse crescimento foi muito mais rápido entre 2003 e 2009 do que no período seguinte, que se inicia em 2010.[20]

O aumento da carteira de crédito às famílias foi impulsionado inicialmente pelas operações com recursos livres, que reúnem todas as linhas de financiamento ao consumo, e depois,

20 O saldo total da carteira de crédito em relação ao PIB e o saldo da carteira de crédito a pessoas físicas foram obtidos no Sistema Gerenciador de Séries Temporais do Banco Central.

em menor escala, pela expansão do chamado crédito direcionado – concedido primordialmente pelos bancos públicos para financiamento habitacional e rural. Enquanto o crédito livre engloba financiamentos em que os bancos delimitam livremente a taxa de juros, o crédito direcionado se dá, de forma geral, com taxas de juros mais baixas e prazos maiores, tal como determinado por políticas públicas.

Dentro da categoria dos financiamentos pessoais com recursos livres, a introdução do crédito consignado[21] possibilitou que aposentados, servidores públicos e uma parcela de trabalhadores – a depender do sindicato a que estavam vinculados – obtivessem acesso a crédito com taxas de juros relativamente mais baixas e prazos maiores.

O comprometimento da renda das famílias com o pagamento dos juros e a amortização do principal, o chamado serviço da dívida, subiu de cerca de 16% em 2005 para 19,4% em 2010.[22] Esse aumento, no entanto, deveu-se muito mais ao aumento no número de famílias com acesso ao crédito do que ao endividamento maior de cada família.

Embora expressivo, o aumento do endividamento das famílias no Brasil não pode ser comparado ao processo de endividamento insustentável das famílias norte-americanas que antecedeu a grande crise de 2008, por exemplo. No caso dos Estados Unidos, as famílias mais pobres que obtiveram acesso a crédito habitacional comprometeram parcela excessiva de sua renda com pagamento de dívidas. Enquanto os preços de imóveis subiam, as famílias refinanciavam suas dívidas com novas hipotecas. A explosão da bolha imobiliária levou ao colapso do sistema.

21 O crédito consignado foi introduzido pela Lei n. 10.820 de 2003.

22 Dados obtidos no Sistema Gerenciador de Séries Temporais do Banco Central.

Nessas experiências, a expansão do crédito funcionou como substituto do crescimento da renda e serviu para sustentar artificialmente a expansão de consumo em meio à estagnação dos salários e ampliação das desigualdades. No caso brasileiro, a expansão do crédito deu-se concomitantemente ao incremento da renda e do emprego. A modalidade de crédito consignado, em particular, fixa a parcela da renda que pode ser destinada ao pagamento de juros e amortizações. É uma das formas mais seguras de tomada de empréstimos.

O acesso maior ao crédito, combinado à redução de desigualdades e crescimento do emprego, reforçou o dinamismo do consumo das famílias e do mercado interno durante o período do Milagrinho.[23]

O endividamento só passou a ser motivo de preocupação a partir da desaceleração da própria economia. A renda menor, a perda de empregos e as altas taxas de juros acabaram levando ao aumento do comprometimento da renda das famílias com pagamento de juros e amortizações da dívida, agravando a crise econômica na década seguinte.

O pilar dos investimentos públicos

Paralelamente a esse processo de redistribuição de renda – com redução da pobreza, aumento real do salário mínimo e maior acesso ao crédito –, o investimento público passou por um período de grande expansão nos anos do Milagrinho, tornando-se o principal motor de crescimento de nosso mercado interno.

Como mostra a Tabela 1, entre 2006 e 2010, o investimento do governo central cresceu em média 27,6% ao ano, já descontando

23 Ver estudo econométrico de Schettini et al. (2012), que encontra efeito significativo do crédito sobre o consumo das famílias no período 1995-2009.

a inflação.[24] Entre 2003 e 2005, por exemplo, esses investimentos haviam caído 4,7% ao ano, em média.[25] No período 1999-2002, a queda havia sido de 2% ao ano, em média. Já no período seguinte, entre 2011 e 2014, houve expansão anual de 1%, em média.[26]

Criada em 2006, a Operação Tapa-Buracos, por exemplo, destinou 407 milhões de reais para a manutenção de rodovias federais, o que corresponderia a um valor de cerca de 770 milhões aos preços de 2017. Mas a forte expansão dos investimentos do governo federal durante o período do Milagrinho deveu-se em boa parte ao Programa de Aceleração do Crescimento (PAC), lançado em janeiro de 2007, logo após a reeleição de Lula.

No discurso de lançamento do programa, que seria capitaneado pela então ministra da Casa Civil Dilma Rousseff, o presidente explicou seus objetivos:

> queremos continuar crescendo de maneira correta, porém, de forma mais acelerada. Crescer de forma correta é crescer diminuindo as desigualdades entre as pessoas e entre as regiões, é crescer distribuindo renda, conhecimento e qualidade de vida [...]. O Programa de Aceleração do Crescimento engloba um conjunto de medidas destinadas a

24 Taxas de crescimento anualizadas a partir dos dados contidos no Relatório de Acompanhamento Fiscal de dezembro de 2017 da Instituição Fiscal Independente do Senado Federal e deflacionados pelo IPCA. **25** A contração observada no período 2003-5 deveu-se à redução de 54,1% nos investimentos do governo central em 2003. Apesar da expansão em 2004 e 2005, os investimentos do governo central só voltaram ao nível de 2002 em 2006. **26** Se incluirmos os investimentos de empresas estatais federais e das esferas estadual e municipal de governo, verificamos um comportamento similar: 17% de crescimento anual entre 2006 e 2010; 0,4% ao ano entre 2002 e 2006 e queda de 1% ao ano entre 2010 e 2014. Para uma análise anual da evolução dos investimentos públicos e outros itens do orçamento federal com dados confiáveis (que descontam pedaladas e despedaladas), ver Orair e Gobetti (2017).

desonerar e incentivar o investimento privado, aumentar o investimento público e aperfeiçoar a política fiscal.

Em um sinal de que ainda mantinha a preocupação com eventuais reações de analistas econômicos às mudanças mais profundas que estava promovendo, Lula completou: "o mais importante, e o lançamento do PAC é uma demonstração disso, é que as condições fiscais permitem o aumento do investimento do governo federal sem comprometer a estabilidade".

O bloco de investimentos previstos no programa para os quatro anos seguintes destinou-se sobretudo à infraestrutura física e social.[27] O PAC, ainda sob o trauma do apagão de 2001, priorizava a área da energia (54,5% do total). Em segundo lugar, vinha a infraestrutura social e urbana, que inclui habitação e saneamento, com 33,9% do total. Já os investimentos em infraestrutura logística (rodovias, aeroportos, ferrovias, hidrovias, portos) representavam 11,6% do total.

Há vasta evidência empírica de que os investimentos públicos têm grande capacidade de induzir investimentos privados, pois dinamizam o mercado interno e recuperam as expectativas das empresas sobre a demanda futura.

O chamado efeito multiplicador, que mede o avanço da renda nacional e a criação de empregos resultante de um aumento em um componente autônomo do gasto, costuma ser maior para os investimentos públicos do que para gastos do governo com compras ou pagamento de funcionários, por exemplo. A razão é simples: esses investimentos induzem outros investimentos e geram emprego e renda

27 Dos 503,9 bilhões de investimentos previstos pelo PAC em 2007 (aos preços daquele ano), 94,1% foram executados até dezembro de 2010 segundo o Balanço Final do PAC 1.

no conjunto da economia, estimulando também um maior consumo das famílias.[28]

No Brasil, o estudo econométrico de Manoel Pires[29] estimou que, para cada real gasto em investimentos públicos, ganha-se 1,4 em variação do PIB. Trata-se de um multiplicador muito maior do que o encontrado para uma redução de um real na carga tributária, que só levaria a um aumento de 0,28 na renda nacional.

O estudo de Dos Santos et al. (2016) também atribuiu papel crucial aos investimentos públicos na determinação do nível de investimentos privados em máquinas e equipamentos no Brasil. Tais resultados indicam, portanto, que, em vez de serem substitutos, investimentos privados e públicos atuam de forma complementar.

Esses investimentos também se distinguem de outros gastos públicos porque levam à acumulação de ativos fixos (rodovias, ferrovias etc.), que potencialmente aumentam o patrimônio líquido do setor público e geram receitas no futuro para o Estado. Justamente por trazerem retornos de longo prazo, os investimentos públicos são excluídos da regra fiscal utilizada por diversos países, entre os quais o Reino Unido. Lá, a meta fiscal inclui apenas os chamados gastos correntes – compras, pagamento de funcionários, por exemplo –, os investimentos ficam de fora.

28 O produto (a renda nacional) é determinado pela soma dos diversos componentes da demanda: consumo das famílias, investimentos, exportações e gastos do governo, menos as importações do país. Alguns desses componentes são induzidos, ou seja, dependem da própria renda nacional, e outros são considerados autônomos. Quando há aumento de um dos componentes autônomos, o aumento da renda nacional é maior, pois há efeitos indiretos sobre os demais componentes. Por exemplo, o aumento das exportações ou dos investimentos públicos eleva a renda nacional e induz maior consumo das famílias e investimentos das empresas, gerando um efeito multiplicador sobre a renda e o emprego totais. **29** Pires (2014) estima efeitos multiplicadores fiscais de gastos, carga tributária líquida e investimentos públicos no período 1996-2012.

Desde 2005, o Brasil admitiu em seu regime fiscal a possibilidade de retirar as despesas com o PAC[30] da base do cálculo do resultado primário – a meta que o setor público tem de cumprir a cada ano visando manter uma diferença entre o que foi arrecadado e o que foi gasto pelo governo antes do pagamento de juros sobre a dívida pública. A alteração também conferiu maior flexibilidade para o remanejamento das despesas dentro do programa. Essas mudanças na regra fiscal se somaram à retirada das duas grandes empresas estatais federais – a Petrobras e a Eletrobras – do resultado primário do setor público, em 2009 e 2010, respectivamente, no intuito de ampliar o espaço fiscal para a realização de investimentos públicos. Ao mesmo tempo, a meta de resultado primário foi sendo reduzida.[31]

A redução das economias exigidas do setor público e o próprio crescimento maior das receitas, fruto do maior crescimento econômico, abriram um espaço fiscal maior, que foi ocupado sobretudo por investimentos públicos. Enquanto o resultado primário caiu de 3,7% para 2,6% do PIB entre 2005 e 2010, a taxa de investimentos do governo federal aumentou em 1,1 ponto percentual.

Por conta da redução da meta e do crescimento das receitas, o governo nem precisou utilizar a margem criada para retirar

30 Anteriormente, a mudança permitia abater despesas com o Projeto Piloto de Investimento (PPI), que é substituído pelo PAC em 2007. A concepção do PPI seguia recomendações de organismos multilaterais para retirar o viés anti-investimento de regras fiscais muito rígidas e, no Brasil, previa a possibilidade de dedução da meta fiscal de uma carteira seletiva de projetos. O PAC contribuiu ao deslanchar um conjunto de projetos na área de infraestrutura e ampliar substancialmente a margem de dedução. **31** Primeiro, a meta foi recalculada de 4,25% para 3,8% após a divulgação da nova série do PIB em 2007 pelo IBGE, que, por ter aumentado o próprio valor do PIB, reduziu o tamanho do superavit do governo em relação ao PIB. Em seguida, caiu para 3,3%, com a retirada da Petrobras da meta (em 2009), e para 3,1%, com a retirada da Eletrobras (em 2010).

os investimentos do PAC da meta fiscal na maior parte dos anos. Nas duas primeiras vezes em que se valeu dessa prerrogativa legal, em 2009 e 2010, o governo foi acusado por analistas de realizar "contabilidade criativa".

Como veremos adiante, isso acabou criando um constrangimento de caráter político para o uso dessas deduções, o que contribuiu para reduzir o espaço fiscal para os investimentos públicos nos anos que se seguem. Em particular, entre 2011 e 2014, o fim do ciclo de expansão dos investimentos públicos em infraestrutura e sua substituição por uma política de redução de impostos, concessões e outros estímulos ao setor privado retiraram da economia brasileira um de seus principais motores.

O desempenho da economia

A alta do preço das commodities e os três pilares de crescimento descritos acima – distribuição de renda, expansão do crédito e investimentos públicos – explicam a melhora no desempenho da economia brasileira em relação às duas décadas anteriores.

O crescimento maior do PIB e de vários de seus componentes é acompanhado de inflação menor, dívida pública em queda, dívida externa também em queda e acúmulo expressivo de reservas internacionais.

Quanto ao crescimento do PIB, diferentemente do que se costuma argumentar, o componente que mais cresceu não foi o consumo das famílias, e sim o investimento. É verdade que o consumo ocupa uma parcela maior do PIB, de modo que expansões do consumo contribuem mais para o seu crescimento do que outros componentes. No entanto, quando se olha apenas para as taxas de crescimento real dos diversos componentes da demanda, vê-se que o consumo cresceu menos do que o investimento nesse período.[32]

Quando a economia está operando abaixo do produto potencial, ou seja, quando há capacidade produtiva ociosa – trabalhadores desempregados e capital subutilizado –, não há contradição alguma entre crescimento maior do consumo e do investimento.[33]

Na verdade, o aumento do consumo ou de qualquer outro componente da demanda acaba estimulando o próprio investimento, na medida em que a principal variável a afetar a decisão de investir é o nível de atividade econômica. Em outras palavras, o empresário pensa: estou utilizando muito da capacidade que tenho, preciso expandir esse potencial (comprar mais máquinas e equipamentos, aumentar a planta da fábrica) para produzir mais e atender a essa nova demanda.

Teorias como essa parecem explicar muito bem o crescimento econômico brasileiro no período do Milagrinho. Os três pilares de crescimento já descritos ajudaram a dinamizar o mercado interno, expandindo as vendas das empresas e estimulando as decisões de investimento para atender a essa demanda maior.

A alta dos preços das commodities reforçou esse processo, não só porque aumentou incentivos e recursos disponíveis para investimentos nos próprios setores produtores de commodities (com destaque para a Petrobras), mas também porque gerou efeitos em cadeia para os setores relacionados (fornecedores, por

32 Conforme apresentado na Tabela 1, o consumo das famílias teve crescimento real médio anual de 5,8% entre 2006 e 2010, ante 9,1% de crescimento real anual do investimento no mesmo período. **33** Nos modelos macroeconômicos segundo os quais, ao contrário, o produto encontra-se limitado pela capacidade de oferta, o aumento do consumo só pode se dar em detrimento do investimento: daí a máxima de que é necessário poupar mais para investir. Esse é o pressuposto dos chamados modelos neoclássicos de crescimento econômico.

exemplo) e elevou a própria arrecadação do governo, ajudando a criar espaço fiscal para a expansão dos investimentos públicos.

Segundo as teorias mais convencionais dos manuais de economia, quando o salário mínimo cresce mais do que a produtividade do trabalho, a economia sofre com maiores taxas de desemprego e maior grau de informalidade. Afinal, essas teorias sustentam que, quanto maior a flexibilidade das leis trabalhistas e menor o custo com a mão de obra, maior a geração de empregos.

O que observamos foi o contrário. Dadas as mudanças já descritas no padrão de consumo, com peso cada vez maior para os setores de serviços – muito intensivos em mão de obra –, o período do Milagrinho também é marcado por um forte crescimento do emprego e pelo aumento dos níveis de formalização.

No âmbito fiscal, o crescimento maior da economia também fez crescer a arrecadação de impostos, ajudando a viabilizar a expansão de investimentos e gastos públicos e ao mesmo tempo o acúmulo de superavits primários – a diferença entre a arrecadação e os gastos do governo antes do pagamento de juros da dívida pública.

O superavit primário se mantém em média em 3,4% do PIB nos anos 2005-8, o mesmo patamar que vigorou entre 2002 e 2004, período que antecede a expansão de investimentos. A situação fiscal se deteriora somente com o advento da crise de 2008-9, quando o superavit primário cai para 1,9% do PIB. Em 2010, ano em que a economia brasileira cresceu 7,5% em termos reais, o superavit primário voltou a ser de 2,6%.

Consequentemente, a dívida pública líquida – que desconta os ativos do governo, tais como as reservas internacionais, do passivo total do setor público – caiu de 62,4% do PIB em setembro de 2002 para 37% do PIB em novembro de 2008. Após a crise, a razão dívida líquida-PIB chega a subir para 41,6%, mas volta a cair continuamente até atingir o patamar mínimo de 30% em janeiro de 2014. O perfil da dívida também melhorou, sobretudo com o aumento do prazo médio de vencimento dos títulos públicos e a redução da parcela de dívida externa (em moeda estrangeira) em relação à interna (em reais).

A alta das commodities e a volta dos fluxos de capitais permitiram que o governo pagasse em sua totalidade os empréstimos junto ao FMI no fim de 2005. Logo depois, passou a acumular vultosas reservas internacionais, cujo saldo total foi de 55 bilhões de dólares ao final de 2005 para 207 bilhões de dólares ao fim de 2007.

O resultado é que a relação entre dívida externa de curto prazo e reservas internacionais, que chegou a ser de 90% durante a crise cambial de 1999, caiu para cerca de 20% em 2008. O país ficou, portanto, muito menos vulnerável a mudanças no cenário externo e na taxa de câmbio.

Ao contrário do que ocorreu em 1999, desvalorizações bruscas do real (altas do dólar) passaram a ter efeito líquido negativo sobre a dívida soberana brasileira: elas aumentaram o valor das nossas reservas, o que, diante da quase inexistência de dívida externa, reduziu muito a dívida líquida do governo. Essa mudança ajudou a impedir que a crise de 2008-9 se transformasse em uma crise cambial.

Embora os juros no Brasil tenham se mantido entre os mais elevados do mundo, o período do Milagrinho também foi caracterizado por uma redução gradual da taxa de juros básica da economia – a Selic – entre agosto de 2005 e setembro de 2007. Após esse período, a Selic se mantém relativamente estável.

O controle da inflação no período[34] foi facilitado pelo dólar baixo, que barateia insumos importados e impede o reajuste maior de preços nos setores que sofrem concorrência internacional. Ou seja, a valorização das commodities também trouxe

34 A inflação medida pelo IPCA saiu de 7,6% em 2004 para 3,1% em 2006, chegou a subir até 5,9% em 2008 e caiu para 4,3% em 2009. Em 2010, ano de maior crescimento da economia, a inflação foi de 5,9%.

como consequência o controle da inflação, já que provocou a entrada de capital estrangeiro, valorizando o real em relação ao dólar. O valor do dólar comercial caiu de 2,92 reais em média em 2004 para 1,76 reais em 2010.

O principal calcanhar de Aquiles entre os indicadores econômicos do período é a deterioração da balança comercial, que mede a diferença entre exportações e importações do país. Apesar da alta no preço dos produtos que mais exportamos, o Brasil passou de um superavit na balança comercial de mais de 45 bilhões de dólares acumulados em 2006 para 18,54 bilhões de dólares em 2010. A queda se deve ao fato de que o crescimento maior traz consigo importações também maiores, processo agravado pelo dólar mais baixo, que barateia produtos importados. Este e outros obstáculos que se apresentavam para a continuidade do processo de crescimento dos anos do Milagrinho serão analisados mais profundamente nas últimas seções deste capítulo.

Tsunami ou marolinha? A crise de 2008

A crise de 2008-9 chega ao Brasil com efeitos similares aos que atingiram outros países emergentes: contração do crédito, queda no preço das commodities e, com a forte saída de capitais estrangeiros, desvalorização do real em relação ao dólar. O resultado foi uma contração substancial da demanda doméstica e dois trimestres consecutivos de queda do PIB.

Naquela ocasião, o presidente Lula foi à TV para tranquilizar e convencer a maioria dos brasileiros de que o Brasil podia superar a crise: tinha vultosas reservas internacionais, contava com a força do mercado interno e o comando do governo. Após anunciar diversas medidas de estímulo à economia, Lula garantiu que os investimentos governamentais não seriam cortados e pediu a colaboração de todos: os empresários deveriam seguir investindo e as famílias não poderiam ter medo de consumir. "Se você não comprar, o comércio não vende [...] e aí a fábrica produzirá menos", explicou.

Dois trimestres de queda no PIB dificilmente se encaixam na categoria de "marolinha", o termo usado pelo presidente para descrever a crise. No entanto, é verdade que já no segundo trimestre de 2009, a economia voltou a crescer 2,3%, mantendo um crescimento superior à média dos países da Organização para a Cooperação e Desenvolvimento Econômico (OCDE) até meados de 2011.

Parte desse desempenho se deve às políticas que já vinham sendo implementadas antes da crise. Ao honrar o aumento planejado nas transferências sociais, no salário mínimo e nos investimentos do PAC e da Petrobras, o governo evitou uma queda ainda maior da demanda doméstica.

Mas, assim como outros países, o Brasil adotou um conjunto de medidas temporárias para conferir liquidez ao sistema financeiro e evitar uma contração maior do crédito. O Banco Central reduziu o chamado compulsório – a fração dos depósitos bancários que os bancos são obrigados a manter em reservas junto à autoridade monetária. Abriu-se também uma linha de crédito no Banco Nacional de Desenvolvimento Econômico e Social (BNDES) para a oferta de crédito de curto prazo. Os bancos públicos – Caixa Econômica Federal e Banco do Brasil – também expandiram suas linhas de crédito com juros subsidiados. Entre setembro de 2008 e julho de 2009, os bancos públicos aumentaram a oferta de crédito em 33%.

Em meio à fuga de capitais estrangeiros e à alta do dólar, o Brasil demorou mais do que outros países para reduzir a taxa básica de juros, iniciando a queda da Selic apenas em 2009.

Já no âmbito fiscal, as medidas temporárias incluíram uma política de desonerações tributárias, que começou com a redução do Imposto sobre Produtos Industrializados (IPI) para automóveis em 2008 e acabou sendo estendida em 2009 para outros bens de consumo duráveis (linha branca), móveis, materiais de construção, bens de capital e alguns alimentos.

Além disso, as transferências do governo federal para estados e municípios foram mantidas em 2009 ao mesmo nível de 2008, apesar da queda na arrecadação federal. O governo federal também aumentou sua participação em investimentos em parceria com outros entes federativos. Sem essas iniciativas, as restrições da Lei de Responsabilidade Fiscal (LRF) teriam forçado uma contração de gastos e investimentos estaduais e municipais em meio à crise, o que agravaria o cenário.

Ainda no âmbito fiscal, o governo ampliou a duração e o valor do seguro-desemprego. Este, que era pago pelo período de três a cinco meses a depender do tempo de serviço do desempregado, passou a ser concedido por dois meses adicionais. Segundo dados do Ministério do Trabalho, 320,2 mil trabalhadores dos dez setores selecionados (metalurgia, mecânica, alimentos e bebidas, material elétrico, material de transporte, madeira e mobiliário, química, têxtil, extrativa mineral e borracha, fumo e couro) deram entrada no benefício.[35]

Duas medidas nascidas no pós-crise de 2008 têm caráter mais estrutural, pois são permanentes. A primeira foi a criação de duas novas faixas de tributação no Imposto de Renda da Pessoa Física (IRPF), com alíquotas menores para a chamada classe média baixa.[36] A segunda foi o Programa Minha Casa Minha Vida, lançado em março de 2009. O programa, que foi ampliado nos anos

35 Em 2009, o valor dos benefícios foi 12% maior e, em 2010, o reajuste foi de 9,7%. **36** Em 2008, a isenção de IRPF era dada a todos cuja renda mensal não ultrapassasse 1372,81 reais. Para as rendas entre 1372,82 e 2743,25 reais, era cobrada alíquota de 15%. Acima disso, cobrava-se a alíquota máxima de 27,5%. Em 2009, a isenção continuou a ser dada para renda abaixo de 1434 reais, mas passou a ser cobrada uma alíquota de apenas 7,5% para rendas entre 1434 e 2150 reais. Além disso, foi criada uma faixa intermediária com alíquota de 22,5% para rendas entre 2866 e 3582 reais.

seguintes, financia a construção de moradias populares, subsidia a entrada e as taxas de juros cobradas de famílias de baixa renda no crédito imobiliário, reduz impostos e cria uma linha de financiamento para o investimento residencial em áreas urbanas.

Embora tais medidas tenham evitado o colapso do sistema financeiro e da oferta de crédito e a queda dos investimentos públicos em meio à crise, a recuperação rápida da economia brasileira só foi possível graças ao modelo de crescimento que já estava em vigor. A força do mercado interno, o ciclo de investimentos privados e a menor vulnerabilidade externa tornaram a economia mais resistente a um choque que, em outros tempos, teria tido impacto muito mais profundo e duradouro.

Sem que houvesse um grande número de empresários querendo investir para atender a uma demanda que vinha crescendo, de nada adiantaria evitar a contração do crédito. E sem o acúmulo de reservas internacionais, a fuga de capitais poderia ter nos levado às crises cambiais do passado.

Algumas interpretações atribuem à implementação de medidas de resposta à crise de 2008 a responsabilidade pelo abandono do que consideram a boa política econômica, qual seja, a que vigorou a partir de meados dos anos 1990 e durante o primeiro governo Lula. Em artigo na revista *piauí* de outubro de 2017, o economista Marcos Lisboa afirmou que:

> o problema foi que o governo confundiu medidas temporárias, necessárias para enfrentar a recessão, com intervenções setoriais de longo prazo. Esse erro não foi cometido pelos demais países emergentes que passaram a crescer bem mais do que o Brasil depois de 2011.[37]

37 Marcos Lisboa, "De crise em crise". *piauí*, outubro de 2017.

Como vimos, boa parte das medidas de combate à crise foi destinada a garantir a manutenção dos pilares de política econômica que já estavam em vigor, tais como a expansão dos investimentos públicos e do crédito a famílias e os programas de redistribuição de renda. Ou seja, a política econômica pré-2008 já contava com um papel mais ativo do Estado no estímulo ao mercado interno, o que explica a própria aceleração do consumo e do investimento a partir de 2006.

A criação de novas faixas de imposto de renda e do Programa Minha Casa Minha Vida, as duas medidas pós-crise que se tornaram permanentes, dificilmente se encaixa na categoria das "intervenções setoriais" mencionadas por Lisboa. A crítica do economista provavelmente se destina às políticas de desoneração tributária e de expansão do crédito concedido a empresas via BNDES. Em ambos os casos, é verdade que as medidas foram mantidas e até ampliadas após a crise, sobretudo a partir do primeiro governo de Dilma Rousseff.

Mas, como veremos, não há apenas uma mudança no contexto econômico, há também um deslocamento nos objetivos, na amplitude e no volume de recursos destinados a essas políticas a partir de 2011. As mudanças que marcaram o primeiro governo Dilma tampouco se resumem a um papel maior e distinto para esses incentivos: vários elementos da política econômica do período do Milagrinho foram abandonados e outros eixos passaram a nortear a estratégia de desenvolvimento.

Em 2006, o Estado tornou-se mais ativo no estímulo direto ao mercado interno por meio da expansão dos investimentos públicos. Em 2011, essa atuação deu lugar a uma estratégia baseada nos incentivos ao setor privado, tanto via política fiscal, quanto via política monetária e creditícia. Ainda que algumas mudanças tenham acontecido pelo caminho, quando se toma como referência a política econômica em seu conjunto, a crise de 2008 dificilmente aparece como um divisor de águas.

Colapso anunciado?

Em retrospecto, dada a desaceleração da economia iniciada em 2011 e a crise em que o país mergulhou a partir de 2015, é tentador avaliar o Milagrinho como um fenômeno que já estaria condenado de antemão ao fracasso e ao esgotamento.

Alguns analistas consideram que os anos de maior crescimento seriam fruto das condições micro e macroeconômicas criadas durante os dois governos de Fernando Henrique Cardoso e o primeiro governo Lula. Outros avaliam que o crescimento dos anos 2000 foi inteiramente explicado pelo boom das commodities, que inevitavelmente chegaria ao fim. Uma terceira visão atribui a insustentabilidade do modelo à suposta centralidade do consumo e do crédito, que só poderiam funcionar como motor da economia no curto prazo.

A tese de que o crescimento mais acelerado nos anos do Milagrinho foi o resultado das reformas liberalizantes dos anos 1990 e da implementação da boa ortodoxia econômica até 2006 (ou até 2008, na visão de alguns)[38] carece de sustentação empírica, mas tampouco é de fácil refutação. Trata-se de um argumento com temporalidades e relações de causa-efeito um tanto quanto difusas.

A tese não explica, por exemplo, por que a mudança da política econômica em direção a um modelo considerado equivocado teria sido sucedida por um ritmo mais acelerado de crescimento, que culminou em uma expansão de 7,5% da economia em 2010, para só então fracassar – levando-nos primeiro a uma desaceleração e, somente em 2015, à segunda maior recessão de nossa história.

38 Ver, por exemplo, artigo de Marcos Lisboa em resposta a Fernando Haddad na revista *piauí* de agosto de 2017, http://piaui.folha.uol.com.br/materia/outra-historia/.

Em outras palavras, quanto tempo o modelo econômico considerado correto levaria para gerar resultados favoráveis? E quanto tempo o modelo considerado equivocado levaria para dar errado? A resposta a essas perguntas parece ser dada sempre *a posteriori*, a partir da observação do desempenho passado da economia, deixando o ônus da prova para os que tentam contestar a tese.

Como vimos, o crescimento só passou a ser liderado pelo mercado interno a partir de 2006. Em 2004 e 2005, o crescimento foi liderado por um boom de exportações que dificilmente pode ser atribuído à política econômica interna. Já entre 2006 e 2010, não se pode ignorar o efeito da valorização mais acelerada do salário mínimo, da universalização de programas de transferência de renda, da expansão do acesso a crédito e dos investimentos públicos sobre o crescimento econômico e o dinamismo do mercado de trabalho.

Sendo assim, uma coisa é dizer que a estabilização da inflação foi condição necessária para uma retomada do crescimento. Disso poucos discordariam. Outra coisa é afirmar que a adoção do tripé macroeconômico, as privatizações e demais políticas implementadas desde 1994 foram as principais responsáveis por gerar um crescimento mais acelerado – uma década depois.

Como as teorias que fundamentam essa abordagem são compatíveis com um crescimento simultâneo do consumo das famílias e dos investimentos privados durante os anos 2000, bem como com a combinação de salário mínimo maior, queda na desigualdade salarial e geração de empregos formais no mercado de trabalho?

Reconhecer o papel da distribuição de renda, dos investimentos públicos e da expansão do crédito no crescimento maior observado a partir de 2006 não implica acreditar que aquele processo poderia durar para sempre ou que estava livre de limites e desafios. Sua continuidade, bem como sua compatibilidade com o controle da inflação e o equilíbrio das contas públicas e das contas externas – até então facilitada pelo contexto internacional favorável –, dependiam da implementação de políticas que ajudassem a superar os obstáculos que serão examinados a seguir.

Desequilíbrio externo e estrutura produtiva

Um primeiro limite desse processo de crescimento, que assumiu um papel central no debate da época, relaciona-se à baixa competitividade e à consequente fragilidade do setor industrial brasileiro. Ao contrário do que ocorreu nos anos do Milagre econômico, a indústria não foi protagonista do Milagrinho, marcado sobretudo, como se viu, pelo dinamismo dos setores de serviços.

A fragilidade da indústria tornou-se mais clara após a crise de 2008-9, quando começou a haver um descolamento cada vez maior entre comércio varejista, que volta a crescer ao ritmo do pré-crise, e produção industrial, que, por sua vez, cresceu muito mais lentamente. Se o comércio cresce e a indústria não, é porque os produtos comprados estão sendo produzidos em outro lugar. De fato, o total de importações do país cresceu 103,4% no acumulado entre o fim de 2005 e o fim de 2010, em termos reais.

Ou seja, aquela dinâmica de crescimento do consumo e do investimento estava, em boa parte, vazando para fora do país. A demanda maior no mercado interno por produtos industriais estava sendo atendida, em grande medida, por produtos vindos de fora. Uma das explicações para isso é a própria valorização do real no período, posto que o dólar baixo barateia os produtos importados.

Além de estimular as importações, o real valorizado relativamente ao dólar desestimula as exportações do país, já que encarece produtos nacionais. Esse processo contínuo de apreciação prejudica o desenvolvimento de novos setores industriais e impede uma maior diversificação de nossa estrutura produtiva, além de gerar desequilíbrios comerciais.

Por outro lado, desvalorizações do real têm péssimas consequências imediatas. Em quase todos os anos em que o real se desvalorizou desde o início do regime de metas de inflação em 1999, a taxa de inflação atingiu ou superou o teto da meta. As razões do fenômeno são duas. A primeira é que o aumento do custo com insumos importados é repassado para outros preços da economia. A segunda é que, ao tornar mais baratos os produtos nacionais em relação aos estrangeiros, a desvalorização dá uma oportunidade para a elevação de preços sem a perda de competitividade. Com a inflação mais alta, os salários perdem poder de compra, desacelerando o consumo das famílias.

Além disso, a desvalorização também eleva dívidas em dólar de empresas e encarece máquinas e equipamentos importados, com possíveis repercussões negativas sobre o investimento.

Mas, se desvalorizar é péssimo, sobrevalorizar também é. Quando o real está muito apreciado, os produtos nacionais ficam mais caros em relação aos estrangeiros e a indústria doméstica perde participação no mercado externo (o que reduz as exportações do país) e no mercado interno (pela compra maior de importados).

Além do risco de que tal acúmulo de deficits comerciais possa levar a crises de balanço de pagamentos, o desmantelamento das cadeias industriais nacionais prejudica a trajetória de crescimento da economia no longo prazo.

Não parece razoável supor que desvalorizar o real seria suficiente para que essas novas indústrias surgissem – a alta especialização e a decadência da indústria brasileira datam da liberalização comercial iniciada no final dos anos 1980 e foram aprofundadas em meados dos anos 1990[39] –, mas tampouco é verdade que o dólar baixo vem sem custos no longo prazo. A sobreapreciação do real inviabilizou mudanças mais profundas na estrutura produtiva do país.

Por essa e por outras razões, o Brasil não tinha, no contexto do Milagrinho, a estrutura produtiva necessária para atender à nova demanda criada – não só por serviços, mas também por produtos industriais que não produzíamos. O dólar poderia estar nas alturas, mas, ainda assim, o país importaria cada vez mais smartphones e computadores, por exemplo. A política de conteúdo local, dispositivo estabelecido em 2003 para exigir maior participação da indústria nacional nos projetos de exploração e desenvolvimento da produção de petróleo e gás natural, não contribuiu quase nada para evitar esse desequilíbrio.

A lição a ser tirada é que um processo de crescimento com dinamismo do mercado interno exige uma política industrial voltada para a diversificação da estrutura produtiva. A capacidade de oferta da economia deve acompanhar o dinamismo da demanda, impedindo o acúmulo de desequilíbrios comerciais e a crise de balanço de pagamentos.

Além disso, setores de maior complexidade e sofisticação tecnológica na indústria e, cada vez mais, nos serviços (vinculados às novas tecnologias de informação e comunicação, por exemplo) tendem a gerar empregos de maior qualidade. Embora o Brasil conte com uma enorme abundância de mão de obra de baixa qualificação, que tem de ser absorvida no mercado formal de trabalho para que o processo de crescimento econômico seja inclusivo no curto prazo, um modelo de crescimento sustentável também deve preocupar-se com qualificar a mão de obra disponível e desenvolver os setores que empreguem esses trabalhadores de maior qualificação. Somente

39 Ver, por exemplo, Carvalho (2010).

uma política tecnológica voltada para o desenvolvimento de setores estratégicos na indústria e nos serviços poderia dar sustentação ao dinamismo do mercado interno e do mercado de trabalho no longo prazo.

Inflação de serviços

Um segundo limite importante que marca o modelo de crescimento com distribuição de renda é o seu caráter inflacionário. Os setores de serviços que mais cresceram nesse período têm duas peculiaridades. Primeiro, são setores muito intensivos em trabalho, cujo principal custo é a contratação de mão de obra. Além disso, em sua maior parte, não sofrem tanta concorrência internacional e podem, portanto, repassar os aumentos de custos de mão de obra para os preços sem perder mercado.

Essas duas características fizeram com que os salários cada vez maiores, que marcaram o processo de redistribuição de renda do Milagrinho, tenham se transformado em inflação de serviços.[40] Ao longo de todo esse período, os preços dos serviços cresceram acima dos demais preços que compõem o Índice de Preços ao Consumidor Amplo (IPCA), que é o índice utilizado para fixar as metas de inflação. Em particular, os preços nos setores de alimentação fora de casa (restaurantes) e serviços pessoais (lavanderias, cabeleireiros, tratamentos de beleza, entre outros) cresceram a um ritmo próximo do dobro do IPCA durante a segunda metade dos anos 2000.[41]

Esse tipo de inflação, causado por ganhos salariais de certas categorias de trabalhadores, foi sentido sobretudo pelos

40 O estudo econométrico apresentado por Giovannetti (2013) indica que o grau de repasse de aumentos de salários para preços nos setores de serviços é da ordem de 20%. **41** Ver Dos Santos et al. (2016).

trabalhadores cujos salários cresciam menos – aqueles que se encontravam no meio da pirâmide. Não à toa, são essas as classes sociais que começam a queixar-se do encarecimento do trabalho doméstico, dos cabeleireiros, da construção civil. Nesse sentido, o descontentamento dessas classes e a participação delas nos protestos de junho de 2013 e nas manifestações em favor do impeachment da presidente Dilma Rousseff em 2015 e 2016 têm bases materiais. Ainda que todas as classes tenham se beneficiado do processo de crescimento dos anos 2000, sua posição relativa mudou. Em alguma medida, o que era inflação para uns, foi ganho de renda para outros.

O crescimento dos setores de serviços de baixa sofisticação tecnológica, intensivos em trabalho e marcados por menores ganhos de produtividade, contribuiu para acirrar conflitos distributivos. Quando a disputa entre trabalhadores e empresários pela participação na renda total aumenta, abre-se uma espiral inflacionária de reajustes de salários e preços.

Apesar da aceleração na inflação de serviços e do crescimento maior da economia, a meta de inflação foi cumprida em todos os anos do período 2006-10. Isso só foi possível graças à apreciação do real: o dólar baixo ajudou a manter controlados os outros preços da economia, pois manteve os insumos importados mais baratos e, ao mesmo tempo, inibiu o reajuste maior de preços nos setores que sofrem maior concorrência internacional e já estavam perdendo competitividade.

Foi, portanto, o ciclo de alta das commodities e o cenário externo favorável que, ao trazer capital estrangeiro para o país e valorizar o real, possibilitaram que houvesse crescimento acelerado de salários sem a perda de controle da inflação.

A dependência do cenário externo favorável e da apreciação do real para o cumprimento da meta de inflação não se restringe a esse período. Desde a implementação do regime de metas de inflação em 1999, em quase todos os anos em que houve desvalorização cambial, a inflação atingiu ou ultrapassou o teto da meta. Já nos anos em que o dólar caiu, a meta, em geral, foi cumprida.

Ou seja, só foi possível fazer um processo de distribuição de renda com salários crescentes na base da pirâmide sem perder o controle da inflação graças ao contexto internacional favorável, que manteve o dólar baixo. A reversão nesse quadro foi suficiente para que a inflação atingisse o teto da meta já em 2011, quando se encerrou o ciclo de alta das commodities.

O problema é que, como vimos, o mesmo dólar baixo que ajudou a controlar a inflação teve o efeito colateral de agravar desequilíbrios na balança comercial, pois estimulou importações e desestimulou exportações.

Uma forma mais desejável de compatibilizar crescimento de salários e estabilidade de preços é aliviar o conflito distributivo entre trabalhadores e capitalistas por meio de um crescimento maior da produtividade do trabalho. Em outras palavras, deixar crescer os salários pode não elevar o custo com a mão de obra se menos trabalhadores ou menos horas de trabalho forem necessários para produzir uma mesma unidade do produto.

É verdade que a produtividade do trabalho responde ao próprio crescimento econômico, devido à existência da chamada Lei de Kaldor-Verdoorn. Quando se atende uma demanda maior, é possível aproveitar as chamadas economias de escala: em muitas indústrias, se a quantidade produzida aumenta, os recursos são mais bem utilizados e cada trabalhador acaba produzindo uma quantidade maior. Os investimentos em novas máquinas e equipamentos induzidos pelo próprio crescimento econômico também elevam a produtividade, pois máquinas novas costumam incorporar tecnologias mais avançadas. Tais ganhos de produtividade devem, porém, ser reforçados pelas políticas tecnológica e educacional, além dos investimentos na melhoria da infraestrutura do país.

O crescimento mais acelerado da produtividade do trabalho tem o benefício adicional de impedir que a oferta de trabalho se torne uma restrição ao crescimento. Em 2010, já estávamos muito próximos do pleno emprego em diversas ocupações, o que exigia que a mão de obra disponível se tornasse mais produtiva para a continuidade do processo de crescimento da economia.

Além disso, o alívio do conflito distributivo e das pressões inflacionárias pode se dar por meio de melhorias nos serviços públicos. O transporte público melhor e mais barato ou a saúde pública de qualidade, por exemplo, elevam o poder de compra dos trabalhadores sem a necessidade de aumentar tanto os salários nominais. O mesmo vale para a oferta de moradia. Nem toda inclusão precisa se dar via renda: as desigualdades também são combatidas quando a população tem acesso a melhores serviços públicos.

Essas não foram, no entanto, as vias escolhidas. O controle da inflação quando o cenário externo mudou baseou-se, por exemplo, no represamento de tarifas de energia elétrica e em outros preços administrados, que, como veremos, acabou gerando prejuízos para diversos setores da economia.

Concentração de renda no topo

Um terceiro limite no modelo de crescimento do Milagrinho está associado à própria forma de distribuir renda. Embora as desigualdades salariais tenham caído de forma substantiva graças à política de valorização do salário mínimo e ao crescimento dos setores de serviços, o ritmo de redução dessas disparidades já vinha diminuindo nos últimos anos do período.

Por outro lado, o Milagrinho não contou com a ajuda da redistribuição de renda do topo da pirâmide para o meio ou para a base. Ao complementar os dados da Pesquisa Nacional por Amostra de Domicílios (PNAD) do IBGE com informações de declarações de Imposto de Renda obtidas na Receita Federal, os estudos dos pesquisadores Medeiros et al. (2015) e Morgan (2017) mostram que a redução da desigualdade de renda foi menor do que se pensava durante esse período. Combinando dados tributários, que tendem a subestimar menos a renda dos mais ricos do que as pesquisas amostrais, com os dados da PNAD, que capta melhor a renda dos mais pobres, os pesquisadores concluíram que não houve queda na parcela da renda apropriada pelo 1% mais rico no Brasil ao longo dos anos 2000.

O estudo de Morgan mostra, por exemplo, que, nos cinco anos que antecederam a crise financeira internacional de 2007-8, o 0,1% mais rico da população se apropriou de 68% do crescimento da renda nacional. Embora o foco do trabalho de Morgan seja a distribuição da renda pré-tributação, sabemos que o nosso sistema tributário altamente regressivo não corrige o problema: ao contrário, a alta parcela da renda dos mais ricos que é isenta de Imposto de Renda nos deixa ainda mais distantes de países com uma distribuição mais igualitária.

Em outras palavras, ainda que os salários tenham ficado menos concentrados nos anos 2000 graças ao crescimento acelerado dos rendimentos de trabalhadores da base da pirâmide – fruto da valorização do salário mínimo e do crescimento de setores muito intensivos em mão de obra menos qualificada –, a renda do capital cresceu ainda mais e se manteve altamente concentrada na mão dos mais ricos.

Os dados de Morgan sugerem que enquanto os 50% mais pobres aumentaram sua participação na renda total de 11% para 12% entre 2001 e 2015, os 1% mais ricos subiram a sua parcela de 25% para 28%. Mais uma vez, fica claro que quem perdeu com o processo de crescimento do período foi o meio da pirâmide: os 40% intermediários reduziram sua participação na renda de 34 para 32% naqueles anos. Tal processo foi chamado por Morgan de *squeezed middle*, ou "miolo espremido".

É importante ressaltar que esse miolo da distribuição de renda no Brasil tem padrão de vida muito inferior à classe média de países ricos. Os dados de Morgan mostram que enquanto o 1% mais rico no Brasil possui rendimento maior do que o 1% na França, por exemplo, a renda média dos 90% mais pobres no Brasil equivale à dos 20% mais pobres na França. Em termos comparados, a nossa classe média é, na verdade, pobre.

Mais uma vez, fica claro que havia razões econômicas suficientes para a insatisfação cada vez maior dos setores do meio da pirâmide que acabaram se unindo aos protestos de junho de 2013 e a favor do impeachment de Dilma Rousseff em 2015 e 2016. As elites, por sua vez, tinham poucos motivos para reclamar.

O trabalho de Medeiros et al. (2015) realizado para os anos 2006-12 sugere que o crescimento da renda do capital foi o grande responsável pela resiliência da desigualdade no período, não por causa do aumento dos lucros das empresas, e sim pelos altos ganhos de capital obtidos sobre a riqueza acumulada. Essa medida capta, por exemplo, a forte alta nos preços dos imóveis e de ativos financeiros que marcou aqueles anos.

O comunicado nº 92 do Instituto de Pesquisa Econômica Aplicada (Ipea), intitulado "Equidade fiscal no Brasil: impactos distributivos da tributação e do gasto social", mostra, a partir de dados da PNAD e da Pesquisa de Orçamentos Familiares (POF) de 2002-3 e 2008-9, que o caráter progressivo (redutor de desigualdades) do gasto social, sobretudo das despesas com educação, saúde, previdência e assistência social, foi compensado pelo caráter regressivo (gerador de desigualdades) do sistema tributário brasileiro.

O estudo sugere ainda que, embora o caráter regressivo da tributação tenha se mantido ao longo dos anos, o gasto social aumentou seu impacto sobre a desigualdade entre 2003 e 2009.

O conjunto dos benefícios previdenciários e transferências (auxílios, bolsas, seguro-desemprego etc.) foi responsável por reduzir o índice de Gini (que mede a desigualdade de renda) em 7,7% em 2009, ante um efeito de redução de 4,3% em 2003. Os gastos com saúde e educação públicas, que já haviam sido responsáveis por reduzir em 13,4% a desigualdade em 2003, ampliaram seu efeito para 17,1% em 2009.

A tributação indireta sobre consumo e produção (ICMS, IPI, PIS, Cofins e Cide), por sua vez, foi responsável por aumentar a desigualdade de renda (Gini) em 4,7% em 2009, ante efeito quase igual em 2003, de 4,6%. O caráter regressivo desse tipo de tributação - que responde pela maior parte da arrecadação de impostos no Brasil - mais do que compensa o efeito progressivo dos impostos diretos - Imposto de Renda, contribuições previdenciárias, IPTU, IPVA e outros -, que, pelas alíquotas demasiadamente baixas e as isenções concedidas, reduziram a desigualdade em apenas 2,6% em 2009 e 1,9% em 2003.

O aprofundamento do processo de redistribuição de renda no Brasil só seria possível, portanto, com uma reforma tributária progressiva que taxasse menos o consumo e a produção e mais a renda e o patrimônio.

As altas taxas de juros e a própria expansão do crédito, no longo prazo, também atuam como vetores de concentração de renda, já que as famílias que obtiveram acesso a crédito pagam juros sobre a dívida contraída e transferem esses valores para o setor financeiro da economia. Reduzir a taxa de juros no mercado de crédito exigia atacar problemas mais estruturais, como o baixo grau de concorrência que caracteriza o setor bancário brasileiro e a própria dificuldade de reduzir a taxa de juros básica da economia para padrões internacionais sem levar a uma desvalorização do real e aceleração da inflação.

A taxa de juros básica não apenas funciona como um piso para as taxas de juros que os bancos cobram sobre as operações de crédito, como afeta os juros que incidem sobre os títulos da dívida pública, de modo que a dificuldade em reduzi-la contribui para que o Estado transfira renda para os detentores de riqueza financeira.

Cabe ressaltar que a redução do estoque de dívida pública em relação ao PIB e a redução gradual da taxa básica de juros – a Selic – durante os anos do Milagrinho contribuíram para reduzir o peso do pagamento de juros líquidos pelo governo de 7,3% do PIB em 2005 para 5% do PIB em 2010. Dentro desse total, a parcela referente aos juros reais pagos sobre a dívida pública[42] caiu de 5% em 2005 para 1,2% do PIB em 2010.

Ainda assim, é um patamar que representa mais do que o triplo do orçamento do Programa Bolsa Família,[43] por exemplo. Considerando que os títulos da dívida pública estão concentrados sobretudo na mão dos mais ricos, o alto pagamento de juros sobre esses títulos ainda contribuía para manter elevada a parcela da renda do 1% mais rico da população.

Em suma, a maior arrecadação tributária e o menor grau de restrição externa, facilitados pelo boom de commodities, contribuíram para criar o espaço necessário para uma redistribuição de renda feita na margem.

A superação desses limites exigia encarar de frente os conflitos mais acirrados, de modo a conferir maior solidez aos pilares do modelo. Infelizmente, o caminho escolhido a partir de 2011, embora tenha partido do enfrentamento de alguns desses conflitos, acabou levando também à substituição de alguns eixos importantes da política econômica do Milagrinho por um conjunto de medidas ineficazes.

42 O restante dos juros líquidos pagos está associado ao chamado custo de carteira – custo de carregamento de reservas internacionais e outros ativos financeiros do governo, como no caso de operações do BNDES –, correção monetária e *swaps* cambiais. **43** O orçamento do Programa Bolsa Família representou 0,36% do PIB em 2010, de acordo com a Secretaria do Tesouro Nacional.

2.
A Agenda Fiesp: um passo ao lado

Diante da falta de competitividade da indústria nacional e dos desequilíbrios externos que surgiam, muitos economistas[1] e autores passaram a defender uma mudança de modelo econômico no Brasil. Em vez do estímulo ao mercado interno por meio dos pilares já elencados, o país precisaria de um modelo de crescimento centrado no desenvolvimento industrial nos moldes asiáticos, com mais destaque para as exportações.

A primeira precondição para iniciar tal processo de crescimento seria dar fim ao real excessivamente valorizado, que impedia que até mesmo setores com domínio pleno da tecnologia competissem no mercado internacional. O outro obstáculo enfrentado pela indústria brasileira, que, como se verá, está associado ao primeiro, seriam as altas taxas de juros.

A estratégia para um crescimento dessa natureza começaria, portanto, por estes dois elementos: a redução de juros e a desvalorização do real.[2] Na realidade, a redução dos juros por si mesma conduziria à desvalorização do real, já que os juros altos demais eram em parte responsáveis pela sobreapreciação

1 Ver, por exemplo, o artigo de Luiz Carlos Bresser-Pereira intitulado "Países asiáticos e doença holandesa", publicado no jornal *Folha de S.Paulo* em 12/4/2010. http://www1.folha.uol.com.br/fsp/dinheiro/fi1204201003.htm

2 Para essa e outras recomendações de política econômica com tais objetivos, ver, por exemplo, artigo de Bresser-Pereira intitulado "Brasil vive desindustrialização", publicado no jornal *Folha de S.Paulo* em 29/8/2010. http://www1.folha.uol.com.br/fsp/mundo/ft2908201011.htm

do real em relação ao dólar: quanto mais baixos os juros, menor a capacidade do país de atrair capital especulativo de fora, menor a entrada de dólares no país e maior a valorização do dólar relativamente ao real.

Da mesma maneira, os juros mais altos no Brasil do que nos demais países atraíam investidores estrangeiros que buscavam retorno elevado sobre títulos públicos, por exemplo, o que contribuía para aumentar a oferta de dólares e a demanda por reais no país, reduzindo assim o preço do dólar em reais. A redução da taxa de juros teria o efeito contrário.

O problema é que, como já descrito no capítulo 1, o dólar baixo era também o que mantinha a inflação sob controle, dada a inflação de serviços que acompanhava o crescimento de salários. Em 2010, quando a economia brasileira cresceu 7,5%, muitos temiam um superaquecimento e uma eventual disparada da inflação.

Nesse contexto, a defesa da redução de juros e da desvalorização do real veio associada à defesa de um ajuste fiscal que ajudasse a controlar a demanda doméstica e os preços. Em outras palavras, a mudança envolveria substituir uma política fiscal expansionista (crescimento de gastos e investimentos públicos) e uma política monetária contracionista (juros altos) por uma política fiscal contracionista (cortes de gastos e investimentos públicos) e uma política monetária mais frouxa (juros mais baixos), que facilitasse a desvalorização da moeda.

Supostamente, com o real mais desvalorizado relativamente ao dólar, os produtos nacionais custariam menos que os concorrentes estrangeiros, o que estimularia exportações, desestimularia importações e, consequentemente, aumentaria os investimentos privados. Ao invés do mercado interno e do consumo, o centro do modelo seria o melhor aproveitamento do mercado externo e os investimentos.

Em 2011, ano em que Dilma Rousseff assume a presidência da República, essa agenda já contava com o apoio de diversos representantes do setor industrial. A própria presidente Dilma, formada em economia em uma escola com tradição industrialista, convenceu-se da estratégia e optou por colocá-la em prática.

No dia 26 de maio de 2011, um artigo[3] publicado no jornal *Folha de S. Paulo* e assinado pelo presidente da Fiesp, Paulo Skaf, o presidente da Central Única dos Trabalhadores (CUT), Artur Henrique, e o presidente da Força Sindical, Paulo Pereira da Silva (o Paulinho), anunciava a realização de um seminário reunindo representantes de trabalhadores e empresários, que inauguraria um pacto em torno de um projeto industrializante para o país.

O texto, intitulado "Um acordo pela indústria brasileira", começa reafirmando a importância dos pilares de crescimento do Milagrinho: o estímulo ao mercado interno por meio da valorização do salário mínimo e da universalização do Bolsa Família, a ampliação da disponibilidade de crédito e os investimentos públicos são evocados como uma "acertada decisão". No entanto, "o precoce encolhimento da participação da indústria no nosso PIB", o "deficit comercial do setor de manufaturados", a "crescente reprimarização da pauta de exportação" e a "substituição da produção doméstica por produtos e insumos industriais importados" acendiam, segundo os autores, "uma luz amarela para a indústria brasileira".

Dois dias antes da publicação do artigo, os três dirigentes anunciaram a intenção de enviar à presidente Dilma Rousseff um conjunto de propostas para o desenvolvimento da indústria. Em entrevista à imprensa, o presidente da Fiesp foi claro sobre a natureza dessas propostas:

3 "Um acordo pela indústria brasileira", 26/5/2011, *Folha de S. Paulo*.

> É fundamental que haja, imediatamente, redução de juros, desoneração da folha de pagamento e outras medidas que possam compensar esse roubo de competitividade que estamos tendo com o real sobrevalorizado.

Embora, como se verá adiante, todas essas demandas tenham sido atendidas, o maior dinamismo da indústria não veio. A produção industrial em volume, que havia crescido 2,7% em 2010, caiu 0,9% em 2011 e 3,7% em 2012. O nível de utilização da capacidade instalada do setor industrial divulgado pela Confederação Nacional da Indústria, que chegou a ser de 85% em 2010, fechou 2011 e 2012 em 80%.

Em entrevista ao jornal *Valor Econômico* em dezembro de 2012,[4] o então secretário de Política Econômica, Márcio Holland, atribuiu o baixo crescimento da economia no ano de 2012 ao que seria uma fase de transição do país, o que chamou de "Nova Matriz Econômica". De acordo com Holland, "essa matriz combina juro baixo, taxa de câmbio competitiva e uma consolidação fiscal 'amigável ao investimento'", o que, junto com uma "intensa desoneração dos investimentos e da produção", garantiria a retomada do crescimento.

O termo criado por Holland passou a ser utilizado por economistas liberais para denominar o modelo de política econômica do primeiro governo Dilma, que muitas vezes é associado erroneamente aos ideais da esquerda. Como essas políticas foram referendadas por associações patronais que, posteriormente, abandonaram o barco e apoiaram o impeachment da presidente, optamos aqui por chamar o modelo econômico adotado em 2011 e aprofundado nos três anos seguintes de Agenda Fiesp.

4 http://www.valor.com.br/brasil/2942048/pais-mudou-sua-matriz-economica-diz-holland

Essa agenda envolveu a redução de juros, a desvalorização do real, a contenção de gastos e investimentos públicos e uma política de desonerações tributárias cada vez mais ampla, além da expansão do crédito do BNDES e o represamento das tarifas de energia. Pode-se dizer com segurança que os resultados de sua adoção foram desastrosos. A desaceleração da economia e a deterioração fiscal que se seguiram acabaram criando as condições para uma segunda mudança de modelo a partir de 2015, desta vez levando ao abandono do pouco que havia sobrado dos pilares de crescimento do Milagrinho.

Juros, câmbio e inflação

Em janeiro de 2011, quando é iniciado o primeiro mandato de Dilma Rousseff, a ata do Copom já sugeria que "a geração de superavits primários compatíveis com as hipóteses de trabalho contempladas nas projeções" ajudaria no combate à inflação. Nas quatro atas seguintes, o Copom saudou o "processo de consolidação fiscal" implementado desde o início daquele ano, mas continuou elevando a taxa de juros. Foi só quando o governo anunciou, em agosto, uma contenção extra de gastos de 10 bilhões de reais – o que elevou a previsão de superavit primário de 2,9 para 3,15% do PIB no ano – que o Copom interrompeu as altas na taxa de juros que vinha praticando desde janeiro.

A ata assim justificou o início da redução da taxa: "A esse respeito, na avaliação do Comitê, a recente revisão do cenário para a política fiscal torna o balanço de riscos para a inflação mais favorável".

O atrelamento da redução da taxa de juros ao ajuste fiscal anunciado pelo governo foi interpretado à época como um sinal de subserviência do Banco Central. De modo coordenado ou não, o fato é que houve uma substituição da política monetária contracionista pela política fiscal contracionista. Entre agosto de 2011 e outubro de 2012, a taxa básica de juros definida pelo Banco Central, a Selic, foi reduzida em termos nominais de 12,5 para 7,25% ao ano. Foram dez reuniões consecutivas em que a taxa sofreu redução de, no mínimo, 0,5 ponto percentual. Descontada a inflação, o juro real foi a menos de 1% ao final desse ciclo de reduções.

Em maio de 2012, para permitir que o Banco Central continuasse a redução da taxa básica de juros, a presidente Dilma Rousseff alterou as regras de remuneração da caderneta de poupança, reduzindo também seus rendimentos. A medida, um tanto impopular, demonstrou seu compromisso com a redução dos juros para patamares mais próximos do padrão internacional.

Enquanto isso o dólar, que abriu o ano de 2011 a 1,65 reais e ainda girava em torno de 1,60 reais em agosto, iniciou tendência de alta em setembro e passou a girar na casa dos 2 reais, onde se manteve de meados de 2012 a meados de 2013. Mas a desvalorização do real não foi apenas fruto dos juros menores.

Entre 2010 e 2013, os países emergentes receberam quase a metade dos fluxos de capitais globais. Antes da crise, entre 2002 e 2008, essa parcela não chegava a 20%. Esse aumento se deveu à expansão monetária nos países ricos. Na América Latina, em particular, quase a metade da entrada líquida de capital era de caráter especulativo, de curto prazo, sendo o México e o Brasil os principais destinos.

Esse tsunami de capitais para países emergentes, quando combinado à manutenção das moedas de países asiáticos em patamares subvalorizados, prejudicava muito a competitividade dos países cujas moedas apreciavam. Em particular, com a dificuldade de evitar a sobreapreciação do real em meio à forte entrada de capitais especulativos, os produtos brasileiros ficavam cada vez mais caros em relação aos produtos estrangeiros, o que levou o então ministro da Fazenda, Guido Mantega, a denunciar uma "guerra cambial", no fim de 2010. A declaração de Mantega causou grande alvoroço na reunião do G20 em Seul, naquele ano.

Para fazer frente a essa sobreapreciação, o governo impôs em 2011 duas medidas de controle que afetaram diretamente o mercado de câmbio.[5] A segunda dessas medidas, implementada em julho, impôs uma alíquota de 1% do Imposto sobre Operações Financeiras (IOF) sobre as posições vendidas dos chamados derivativos de câmbio acima de 10 milhões de dólares, atingindo o cerne da especulação cambial que ocorria até então pela apreciação da moeda brasileira. Em outras palavras, o Banco Central passou a taxar as apostas em uma queda do dólar ante o real no mercado de futuros, que estavam se tornando autorrealizáveis.

As medidas montaram uma institucionalidade capaz de evitar a apreciação e reduzir a volatilidade da moeda brasileira, que era das mais elevadas do mundo. Essa capacidade de administração da taxa de câmbio pôde ser observada já no segundo semestre de 2012, quando o dólar se manteve entre 2 e 2,05 reais por cerca de quatro meses, na menor volatilidade observada desde o abandono do regime de bandas cambiais em 1999.[6]

No entanto, a desvalorização do real não chegou a ser grande o suficiente para fazer a diferença no desempenho exportador brasileiro e no crescimento industrial. Os motivos são variados. Primeiro, há evidências[7] de que as exportações brasileiras são relativamente insensíveis a variações na taxa de câmbio,

5 O governo já havia instituído o IOF de 6% para o ingresso de capital estrangeiro direcionado para as garantias de derivativos (http://economia.estadao.com.br/noticias/geral,governo-amplia-controle-em-derivativo-para-conter-cambio,77472e). **6** Para uma análise do funcionamento do mercado de derivativos de câmbio e dos efeitos das medidas implementadas, ver Rossi (2016). **7** Ver Dos Santos et al. (2015) e Padrón et al. (2015) sobre a baixa sensibilidade das exportações e importações do Brasil à taxa de câmbio. As importações do país também parecem responder pouco a variações na taxa de câmbio, já que não temos uma estrutura produtiva capaz de oferecer substitutos nacionais para a grande maioria dos produtos consumidos.

pois são demasiado concentradas em produtos cuja demanda é pouco sensível a preços. É o caso, por exemplo, de produtos agrícolas e minerais que têm seus preços determinados em mercados internacionais e não podem ser substituídos por outros.

Para desenvolver setores novos com bom desempenho exportador, a desvalorização do real teria de ser muito maior e duradoura. E mesmo assim, a magnitude da desvalorização necessária para que o país conseguisse competir com países asiáticos na exportação de bens manufaturados, por exemplo, talvez exigisse uma redução de salários incompatível com o regime democrático. Como vimos, desvalorizações da taxa de câmbio produzem queda dos salários reais, ou seja, reduzem o poder de compra dos trabalhadores no curto prazo. Se o dólar fica mais alto, as empresas que enfrentam competidores estrangeiros no mercado interno (pela presença de importados) ou no mercado internacional podem reajustar seus preços e ampliar suas margens de lucro. Essa mudança reduz, portanto, o salário real dos trabalhadores, que passam a pagar mais caro pelos mesmos produtos.

Os defensores dessa estratégia argumentam que, no longo prazo, a produtividade do trabalho cresceria mais rápido graças ao desenvolvimento de setores de maior sofisticação, o que permitiria também um crescimento mais acelerado de salários no futuro.

O fato é que não chegamos nem perto disso. Como se não bastasse, o período coincide com a fase mais profunda da crise dos países da periferia europeia, que teve consequências nefastas para o comércio mundial. Voltar-se para o mercado externo em meio a esse contexto revelou-se uma escolha ruim. As exportações, que haviam crescido 11,7% em termos reais em 2010, cresceram apenas 4,8% em 2011 e 0,3% em 2012.

Enquanto isso, no mercado interno, a alta do dólar combinada à inflação de serviços levou a inflação em 2011 para o teto da meta: a variação do IPCA fechou o ano em 6,5%, contribuindo para desacelerar o crescimento dos salários. Em parte devido a essa alta de preços, o consumo das famílias passou de 6,2% de crescimento em 2010 para 4,8% em 2011 e 3,5% em 2012.

Diante da aceleração da inflação, o presidente do Banco Central Alexandre Tombini começou a sinalizar, já no início de 2013, que mudaria os rumos da política monetária. Em entrevista à jornalista Miriam Leitão,[8] declarou que a situação não era "confortável" e que o BC estava atento, precipitando uma reversão de expectativas nos agentes econômicos, que passaram a esperar uma alta de juros.

Em maio de 2013, com as perspectivas de retomada da economia norte-americana, o Fed anunciou que o seu programa de expansão monetária seria eliminado gradualmente a partir de junho daquele ano. Após cinco anos e três fases de *Quantitative Easing* (QE), as declarações tiveram enorme impacto em todos os países emergentes que, como já mencionado, vinham recebendo uma enorme entrada de capitais especulativos desde a primeira fase do QE.

Essa fase, que passou a ser conhecida como *Taper Talks*, afetou as expectativas dos investidores, que passaram a esperar uma elevação da taxa de juros nos Estados Unidos, e provocou uma enorme volatilidade nos fluxos de capitais para países emergentes. A saída de capitais desses países, por sua vez, gerou uma desvalorização rápida de suas moedas, além de queda no preço de ações e aumento dos juros cobrados sobre a dívida pública. O Brasil ficou entre os que mais sofreram os efeitos dessa reversão, sobretudo no que tange à desvalorização da moeda. Como resposta, o Ministério da Fazenda eliminou, já em junho daquele ano, o IOF de 1% sobre os derivativos de câmbio criado em 2011.

Apesar das tentativas de Guido Mantega de negar a necessidade de elevar os juros, o BC iniciou a trajetória de elevação da

8 "Alta desconfortável", *O Globo*, 8/2/2013.

Selic em abril de 2013, logo antes da fase do *Taper Talks*. Diante da aceleração da inflação e da reversão dos fluxos de capital, que desvalorizavam o real relativamente ao dólar, a taxa Selic foi elevada de 7,25% ao ano em março de 2013 para 11,75% em dezembro de 2014, em termos nominais. A taxa de juros real *ex post*, que desconta da Selic anunciada pelo Banco Central a inflação acumulada em doze meses, subiu de 0,7% em março de 2013 para 5,3% em dezembro de 2014.

No âmbito econômico, a tentativa de reduzir permanentemente a taxa de juros no país parece ter fracassado, portanto, por três razões principais. Primeiro, a redução da Selic iniciada em 2011 foi aparentemente demasiado rápida e brusca: ao precipitar uma alta do dólar e acelerar a inflação no ano, acabou não se sustentando.

Segundo, o país não se preparou bem para enfrentar a volatilidade nos fluxos especulativos de capitais, que, como ficou claro com o episódio do *Taper Talks*, ajudaram a colocar em xeque a estabilidade do real e contribuíram para a elevação dos juros. Se, por exemplo, em vez de introduzir o IOF apenas sobre posições vendidas no mercado de derivativos de câmbio (apostas na queda do dólar relativamente ao real), o governo brasileiro tivesse introduzido também um IOF sobre posições compradas (apostas na queda do real relativamente ao dólar), essa reversão brusca de fluxos especulativos poderia ter sido amenizada.

Terceiro, o que permitia o controle da inflação no contexto de forte crescimento de salários que marcou os anos do Milagrinho era justamente a forte entrada de capitais e a sobreapreciação do real. Considerando que a desvalorização do real era um dos objetivos da Agenda Fiesp, o que o governo fez foi tentar compensar a perda desse canal de controle da inflação com um ajuste fiscal, que ajudou a conter a atividade econômica. Em outras palavras, a ideia era frear a inflação de serviços – fruto, como se viu, do dinamismo do mercado de trabalho e consequente crescimento dos salários – para compensar a inflação maior de manufaturados.

Certamente um corte de gastos e investimentos públicos com magnitude e duração para frear a economia, desaquecer o mercado de trabalho, elevar a taxa de desemprego e desacelerar o crescimento dos salários poderia ter logrado esse objetivo. Mas, apesar do forte ajuste fiscal realizado em 2011, a desaceleração da economia não foi forte ou rápida o suficiente para neutralizar o impacto inflacionário da alta do dólar.

Como se verá com a grave crise iniciada em 2015, talvez esse não fosse mesmo o caminho mais desejável para o controle da inflação, do ponto de vista do bem-estar da sociedade. Mas a alternativa escolhida pelo governo entre 2012 e 2014 tampouco se mostrou boa.

Preços administrados

Em 2011, o governo passou a utilizar instrumentos microeconômicos para controlar a inflação. Começou a intervir nos chamados preços administrados, aqueles que, como apontam os Relatórios de Inflação do Banco Central, "são insensíveis às condições de oferta e de demanda porque são estabelecidos por contrato ou por órgão público".

Há os setores em que o governo tem o poder de precificação, como no caso dos produtos e serviços de empresas estatais (como Petrobras e Correios) ou de certos tipos de concessão para empresas privadas (como transporte urbano municipal) e outros em que as empresas concessionárias fixam preço, mas estão sujeitas a regras de reajuste definidas pelas agências reguladoras (como tarifas de energia elétrica e pedágios).

Em geral, o que justifica que esses preços sejam passíveis de intervenção ou controle pelo governo é o poder de monopólio das empresas prestadoras e a existência das chamadas externalidades.

O poder de monopólio existe por diversos fatores, entre os quais o alto volume de investimentos necessários para a prestação do serviço (como no caso da construção da rede de distribuição de energia elétrica) e as economias e ganhos de produtividade gerados quando a mesma empresa oferece o serviço para uma grande parcela do mercado. Tudo isso acaba fazendo com que o mercado seja dominado por uma única empresa ou por um pequeno número de empresas que, na ausência de controle ou regulação, teriam o poder de cobrar o preço que quisessem.

As externalidades são custos (ou benefícios) que não oneram (ou não favorecem) o agente que os causa, mas sim a economia e a sociedade como um todo. A poluição, por exemplo, é uma externalidade negativa, pois todos pagam seu preço. Atividades que geram externalidades positivas, por sua vez, envolvem ganhos sociais que superam a soma dos ganhos privados envolvidos.

A existência das chamadas externalidades de rede, em particular, é o que dá sustentação econômica para políticas de universalização de serviços de infraestrutura, tais como telefonia fixa, telefonia móvel, internet banda larga ou eletrificação rural, que costumam ser subsidiados pelo Estado.

Mas, como se verá, o governo utilizou seu poder de precificação como instrumento de política macroeconômica, gerando efeitos nefastos sobre alguns desses setores.

Em junho de 2012, por exemplo, a Petrobras anunciou um ajuste de 7,83% no preço da gasolina na refinaria e, para anular o efeito inflacionário sobre o preço cobrado do consumidor final, o governo reduziu a zero a alíquota da Contribuição de Intervenção no Domínio Econômico (Cide), imposto incidente sobre a comercialização de gasolina e diesel. Quer dizer, em meio à alta do preço do petróleo, que elevou o custo de produção da gasolina, e à aceleração da taxa de inflação, a escolha do governo foi de, ao mesmo tempo, aumentar o preço da gasolina na refinaria, evitando gerar perdas para a Petrobras, e zerar a incidência da Cide, evitando uma aceleração ainda maior da inflação.

De fato, o preço da gasolina ficou muito mais defasado em relação ao preço internacional de petróleo do que, por exemplo, o preço do diesel e do gás liquefeito de petróleo (GLP), derivados de petróleo cujo peso no índice de inflação (o IPCA) é menor. O papel da Cide, no entanto, era justamente alterar o preço relativo entre a gasolina e seus substitutos, com efeitos favoráveis do ponto de vista ambiental. Em particular, a cobrança da Cide sobre a gasolina servia para distanciar o seu preço do preço do etanol de cana-de-açúcar, um combustível renovável e com balanço energético mais eficiente, estimulando a escolha do etanol por proprietários de veículos *flex-fuel*.

Ao desviar a Cide de seu objetivo original e utilizá-la como forma de controle da inflação, o governo gerou um custo microeconômico: a desoneração estimulou o consumo de gasolina e inibiu investimentos em etanol, contribuindo para agravar a crise no setor. Ademais, o aumento do consumo de gasolina acabou levando à necessidade de importação desse combustível, o que, dada a defasagem de preços, contribuiu para prejudicar o balanço da Petrobras.[9]

Outro exemplo relevante, datado do mesmo período, foi a queda súbita do preço da energia elétrica, em setembro de 2012, que antecipou a renovação de contratos de concessão que venceriam entre 2015 e 2017, sem necessidade de nova licitação. A Medida Provisória 579, transformada em lei em janeiro de 2013, extinguiu um conjunto de encargos que incidiam sobre a conta de luz, renovou as concessões de forma não

9 Para uma análise da defasagem nos preços administrados e seus custos microeconômicos, ver Azevedo e Serigati (2015).

onerosa (sem necessidade de pagamento pela empresa concessionária) e prorrogou as concessões por trinta anos. Em compensação, as concessionárias aceitaram reduzir as tarifas em 18% para os consumidores residenciais e em até 32% para a indústria e o comércio.

A aplicação dos percentuais de redução nas tarifas de energia foi saudada pelo presidente da Fiesp, Paulo Skaf, que havia liderado a campanha "Energia a Preço Justo" – iniciativa lançada em 2011 para evitar que as concessões de energia fossem renovadas sem uma queda no preço da conta de luz. "Acho que vocês todos sabem que há dois anos lutamos para baixar a conta de luz. Finalmente, tenho uma grande notícia: ganhamos a guerra", celebrou Skaf em anúncio veiculado em diversas emissoras de TV. "Com o apoio da presidente Dilma, da maioria dos deputados e senadores e com o apoio de todos vocês, o sonho virou realidade".

À parte o grande prejuízo às distribuidoras de energia, que acabou sendo coberto pelo Tesouro Nacional, as tarifas de energia elétrica e os demais preços administrados foram reajustados de forma brusca em 2015, o que respondeu por 39,54% da inflação do ano, segundo decomposição da inflação divulgada pelo Banco Central.[10] Esse reajuste rápido veio como resposta aos inúmeros ataques que o represamento de preços sofreu por parte dos analistas econômicos desde 2013.

De fato, não parece haver qualquer evidência de que a redução de tarifas de energia elétrica tenha sido eficaz em gerar competitividade para a indústria brasileira, que, dada a queda de rentabilidade causada pela desaceleração da economia, pode ter apenas aproveitado a medida para recompor suas margens de lucro.

10 Boxe de decomposição da inflação, Relatório de Inflação, março de 2016.

Desonerações tributárias

É verdade que o governo Lula já havia implementado, durante o período do Milagrinho, diversas medidas de desoneração tributária. Em particular, o PAC previa uma série de desonerações voltadas para o setor da construção, de infraestrutura pesada e de alta tecnologia (computadores, semicondutores, equipamentos para televisão digital).

Além disso, em resposta à crise, o governo implementou em dezembro de 2008 uma política de redução de IPI sobre automóveis, que visava evitar um acúmulo de estoques na indústria. Como já mencionado, tal política acabou sendo estendida em 2009 para setores de bens de consumo duráveis, materiais de construção, equipamentos, móveis e alimentos.

Mas foi durante o primeiro mandato de Dilma Rousseff que a política de desonerações ganhou centralidade na política econômica. Não se tratava mais de uma medida para o combate à crise e sim de um dos principais eixos das políticas fiscal e industrial do governo.

As primeiras medidas tributárias de desoneração para incentivar setores econômicos foram criadas no Plano Brasil Maior, anunciado em agosto de 2011. O plano previa, entre outros pontos, a redução de IPI sobre máquinas e equipamentos, materiais de construção, caminhões e veículos, a concessão de créditos tributários para exportadores e a chamada desoneração da folha de pagamentos.

Outra medida de renúncia tributária envolveu a desoneração da cesta básica. A política, introduzida em março de 2013, buscou estimular o consumo das famílias de baixa renda pela redução de alíquotas do PIS/Pasep, Cofins e do IPI de alguns alimentos e produtos de higiene pessoal.

Apesar do fraco desempenho da economia e da aparente ineficácia dos incentivos concedidos em gerar expansão da produção industrial, dos investimentos e do consumo, o governo aumentou o número de setores beneficiados por diversas dessas medidas. A redução de IPI, por exemplo, que inicialmente tinha validade até 31 de agosto de 2012, foi prorrogada diversas vezes e durou até 31 de dezembro de 2014.

O caso da política de desoneração da folha salarial é ainda mais emblemático. A medida, introduzida em 2011, substituiu a base de cálculo da Contribuição Previdenciária Patronal de 20% sobre a folha de salários para entre 1% e 2% sobre o faturamento da pessoa jurídica. O objetivo da política era, supostamente, manter empregos e elevar a competitividade nos setores da indústria mais intensivos em trabalho por meio da redução dos custos com a mão de obra. Inicialmente, ela vigoraria até dezembro de 2014, mas foi tornada permanente em julho de 2014. Além disso, a quantidade de setores beneficiados, que era de apenas quatro, de acordo com a Secretaria de Políticas Econômicas, aumentou para 56 até 2014.

Com a expansão da política para toda a economia, passou a ser impossível identificar seu caráter industrialista. De acordo com os dados da Receita Federal, os setores de transportes e construção juntos tinham em fevereiro de 2014 mais trabalhadores incluídos no regime desonerado do que o conjunto de ramos da indústria de transformação.[11] O incentivo a tais setores não contribuiu sequer para estimular a competitividade externa, dado que transportes e construção não sofriam concorrência internacional.

Quando se analisa o custo total das desonerações, no entanto, os setores da indústria de transformação passaram à frente e representaram 44,8% do valor renunciado naquele mês, seguidos pelos setores de serviços (42,8%) e construção (11,8%).

11 Para uma análise da composição setorial da política de desoneração da folha salarial e de sua evolução, ver Afonso e Pinto (2014).

Essa diferença decorre das disparidades salariais entre os setores: a indústria paga salários muito maiores, em média, aumentando o valor desonerado. Ainda assim, a indústria não chega a representar metade do valor desonerado pela política, sendo pequena a proporção relativa à indústria intensiva em mão de obra.

A inclusão dos setores de serviços e construção civil elevou o custo anual da desoneração da folha de 0,08% do PIB em 2012 para 0,25% em 2014, segundo os dados de Afonso e Pinto (2014).

O conjunto dessas políticas gerou uma forte perda de arrecadação pelo governo federal. O custo anual com as renúncias tributárias, que era de 140 bilhões de reais em 2010, passou a ser de 250 bilhões em 2014, também em valores correntes de cada ano. A estimativa é de que as desonerações concedidas a partir de 2011 somem mais de 458 bilhões até 2018.[12]

Diante do seu custo elevado, parece no mínimo questionável a opção por estender tais mecanismos a tantos setores da economia, e de forma tão pouco criteriosa. No entanto, é difícil avaliar se decisões autônomas da equipe econômica pesaram tanto quanto pressões e negociações com representantes dos diversos setores no Congresso e no Executivo.

Tomemos o exemplo da aprovação da Medida Provisória 613, que criou um regime de desoneração fiscal para a aquisição de matérias-primas no setor químico, o chamado Regime Especial da Indústria Química (Reiq). A conversão em lei da medida provisória é um dos objetos de inquérito aberto pelo ministro do Supremo Tribunal Federal (STF) Edson Fachin no âmbito da Operação Lava Jato. De acordo com as delações que deram origem às investigações, a aprovação da MP 613 no Congresso teria custado à Odebrecht 7 milhões de reais em propinas a parlamentares.

12 http://www1.folha.uol.com.br/mercado/2015/09/1678317-dilma-deu-r-458-bilhoes-em-desoneracoes.shtml

Segundo Marcelo Odebrecht, herdeiro e presidente da empresa, o sucesso das negociações para a elaboração dessa medida provisória pelo Ministério da Fazenda também estaria associado às doações feitas pela empresa ao PT para campanha eleitoral e outros fins. De acordo com o delator, assim como muitos projetos no Brasil, a medida teria embasamento técnico e legitimidade, mas, "se você não tem acesso ao rei, você não consegue aprovar".

Já havia, portanto, uma política de desonerações em vigor, mas a inclusão de setores específicos pode ter resultado mais da influência de grupos de alto poder econômico sobre o poder público, por meio de instrumentos legais ou ilegais, do que propriamente de uma análise econômica das dificuldades enfrentadas em cada setor e possíveis benefícios da política.

Mas, apesar de todas as benesses que visaram recuperar margens de lucro em diversos setores da economia, o investimento privado não cresceu no período. Contrariando as expectativas, na falta de fontes de demanda interna ou externa e diante do maior grau de ociosidade, ele sofreu uma forte desaceleração: o crescimento de 17,9% em 2010 caiu a 6,8% em 2011, chegando a apenas 0,8%, em 2012. O investimento em máquinas e equipamentos, em particular, passou de 1,5% de crescimento em 2010 para 1,3% em 2011 e apenas 0,2% em 2012.[13]

As razões para esse fracasso são várias. Primeiro, como se viu, a demanda já não era crescente: o nível geral de utilização da capacidade da indústria caía e os estoques se acumulavam. Não havia razão econômica, portanto, para expandir a capacidade produtiva comprando mais máquinas e equipamentos. Além disso, mesmo que as decisões de investimento fossem movidas também pela lucratividade, a política garantia apenas o aumento da margem de lucros, mas não do lucro total, que

13 As taxas de crescimento do investimento em máquinas e equipamentos foram extraídas das estimativas apresentadas em Dos Santos (2016).

depende também das vendas. De que adianta receber uma margem de lucros maior de um total faturado menor?

Segundo, porque grande parte do setor empresarial nacional encontrava-se afundado em dívidas contraídas no ciclo de investimentos anterior. Os dados do IBGE utilizados pelo economista Felipe Rezende[14] para analisar a situação financeira das empresas brasileiras indicam que os investimentos das empresas não financeiras passaram a superar os lucros retidos já a partir de 2007, levando ao endividamento crescente. Com a queda na lucratividade e a frustração das expectativas de retorno para os investimentos realizados, desde 2011, a situação financeira das empresas se deteriorou cada vez mais.

Em um quadro muito estudado pelo economista Hyman Minsky, as empresas endividadas estariam preocupadas em arcar com seus compromissos financeiros e recompor seus balanços, cortando despesas e contribuindo assim para aprofundar a crise econômica.

Mas se as expectativas das empresas para o crescimento da economia, que as levaram a investir tanto em 2007, 2008 e 2010, tivessem se concretizado, não haveria dificuldade para o pagamento de dívidas. Nesse sentido, o endividamento excessivo não é exatamente um causador da crise, mas é uma de suas consequências e um de seus agravantes.

Quando as empresas buscam reduzir seu grau de endividamento, desonerações tributárias servem apenas para a recomposição de uma parte dos lucros perdidos, não sendo capazes de estimular novos investimentos. Já fica claro também por que a redução na taxa de juros e a oferta maior de crédito via BNDES mostraram-se inócuas nesse contexto.

14 Ver, por exemplo, artigo de Felipe Rezende publicado em 4/8/2016 no jornal *Valor Econômico*, http://www.valor.com.br/opiniao/4658015/por-que-o-brasil-sofre-uma-das-piores-crises-de-sua-historia.

A terceira razão para o fracasso da política de desonerações está relacionada ao processo de financeirização do setor produtivo da economia. A relação íntima entre o capitalismo financeiro e o capitalismo produtivo, que é um fenômeno global, se expressa no Brasil sobretudo pelas atividades de tesouraria das empresas, cada vez mais importantes para sua lucratividade. Em meio à forte incerteza sobre a rentabilidade futura dos investimentos em capital produtivo, quem ainda tem dinheiro em caixa prefere investir em títulos públicos e aproveitar, já no curto prazo, o alto rendimento com juros proporcionados por ativos de baixo risco.

Após o impeachment, a ex-presidente Dilma Rousseff classificou a política de desonerações como um dos seus principais erros. Na autocrítica, feita em diversas entrevistas a veículos estrangeiros[15] no ano de 2017, Dilma disse que esperava que as renúncias fiscais estimulassem as empresas a realizar investimentos e gerar empregos, mas que os empresários acabaram utilizando a política para aumentar suas margens de lucro.

De fato, a maior parte das desonerações fiscais concedidas parece ter servido como política de transferência de renda para os mais ricos, contribuindo também para deteriorar sobremaneira as contas públicas.

Juros e *spreads*

Para que a redução da taxa Selic iniciada em 2011 chegasse ao mercado de crédito, o governo federal passou a concentrar esforços em reduzir o chamado *spread*, a margem cobrada

15 Ver, por exemplo, entrevista ao jornal *New York Times* em 13/4/2017, https://www.nytimes.com/2017/04/13/opinion/an-impeached-president-reeling-but-defiant.html.

pelos bancos comerciais sobre os juros básicos da economia nas operações de crédito.

Em fevereiro de 2012, uma declaração de Alexandre Tombini na Comissão de Assuntos Econômicos do Senado deixou claro que a redução do *spread* era "prioridade do governo" e "determinação" da presidência da República. Em abril do mesmo ano, a presidente Dilma aproveitou o lançamento de um pacote de proteção à indústria nacional para afirmar seu desejo de reduzir *spreads* para que as empresas tivessem acesso a crédito com custos menores.[16]

A medida foi implementada por meio da redução dos juros e ampliação dos limites para diversas linhas de financiamento pelo Banco do Brasil. Alguns dias depois, a Caixa Econômica Federal tomou medidas semelhantes. Por meio dos bancos públicos, o governo forçou os concorrentes privados a reduzir seus próprios *spreads*. Caso não o fizessem, perderiam participação no mercado.

A medida, que atingia diretamente o lucro dos bancos e foi o grande gesto de enfrentamento com o poder financeiro do período, foi recebida com enorme má vontade por analistas e representantes do mercado financeiro. No entanto, a redução dos juros nas operações de crédito certamente deixou a desejar do ponto de vista do estímulo aos investimentos privados.

Cabe ressaltar aqui uma divergência com a interpretação do cientista político André Singer em seu ensaio "Cutucando onças com varas curtas" (2015). De acordo com Singer, o fracasso do "ensaio desenvolvimentista" do governo Dilma – que aqui

16 "Queda do 'spread' bancário é determinação de Dilma, diz Tombini". G1, 28/2/2012, http://g1.globo.com/economia/seu-dinheiro/noticia/2012/02/que-da-do-spread-bancario-e-determinacao-de-dilma-diz-tombini.html. "Para facilitar crédito, Dilma defende diminuição do 'spread' bancário". G1, 3/4/2012, http://g1.globo.com/economia/noticia/2012/04/para-fa-cili-tar-credito-dilma-defende-diminuicao-do-spread-bancario.htm.

chamamos de Agenda Fiesp – deveu-se sobretudo à ousadia do projeto, que acabou minando sua base de sustentação política. Nas palavras de Singer:

> enquanto, pelo alto, Dilma e Mantega realizavam ousado programa de redução de juros, desvalorização da moeda, controle do fluxo de capitais, subsídios ao investimento produtivo e reordenação favorável ao interesse público de concessões à iniciativa privada, no chão social e político o vínculo entre industriais e trabalhadores se dissolvia, e os empresários se unificavam "contra o intervencionismo". [...]
>
> Depois de início exuberante, o desenvolvimentismo foi contido pelo aumento dos juros, a partir de abril de 2013, e passou à defensiva. Sem contar com o apoio dos industriais e vendo a crescente atratividade do bloco rentista, o governo ficou na defensiva, até que assinou a rendição completa no final de 2014.

É verdade que, ao atender as demandas de setores influentes do empresariado industrial, o governo Dilma enfrentou alguns interesses do capital financeiro. A assertiva vale, em particular, para a redução da Selic e a política de redução dos *spreads*. No entanto, a interpretação de Singer parece partir do pressuposto de que as políticas implementadas iam na direção correta e teriam sido bem-sucedidas em colocar a economia nos eixos caso tivessem sido mantidas. O boicote a essas políticas é que seria responsável pelo seu fracasso.

Em uma das hipóteses aventadas para explicar o deslocamento da burguesia industrial para o que chamou de união antidesenvolvimentista, Singer chega a recorrer ao conceito de "greve de investimentos" do sociólogo alemão Wolfgang Streeck. Em suma, o empresariado industrial teria se recusado a investir como forma de impedir que o Estado continuasse atuando em favor do pleno emprego, o que, por sua vez, elevou o custo com a mão de obra.

O problema é que, além da Agenda Fiesp não ser tão progressista quanto pode parecer à primeira vista, havia razões econômicas suficientes para que os empresários não realizassem maiores investimentos. Assim como no caso das desonerações e margens de lucro maiores, a redução no custo de capital pode até ser uma condição necessária para a realização de investimentos com financiamento privado, mas está longe de ser uma condição suficiente.

Em outras palavras, na falta de expectativas de crescimento da demanda e com dificuldade de cumprir seus compromissos financeiros, as empresas não tinham qualquer razão para expandir os investimentos, nem com juros menores. Por que investiriam para expandir a capacidade produtiva se não havia qualquer perspectiva de aumentar as vendas e se já estava difícil cumprir com as obrigações financeiras associadas ao endividamento do ciclo anterior?

Crédito subsidiado

A partir de 2012, a expansão do crédito que marcou o período do Milagrinho adquiriu novas formas. Enquanto o saldo das operações com recursos livres passou a cair em relação ao PIB, as operações com recursos direcionados – essencialmente operações de crédito subsidiado feitas por bancos públicos – mantiveram o ritmo acelerado de expansão que prevaleceu após a crise de 2008-9 e passaram a ocupar uma parcela cada vez maior do crédito total. Essa mudança ocorreu tanto com as operações destinadas a empresas, quanto com aquelas voltadas a pessoas físicas.

No caso das empresas, o que explica essa trajetória é a expansão do crédito do BNDES a juros subsidiados, que, por sua vez, foi viabilizada pelos aportes de recursos do Tesouro ao Banco. O primeiro desses aportes, na forma de títulos públicos negociáveis em mercado, foi feito em 2009 em meio à crise internacional. Se convertido para preços de 2017, seu valor total foi de 173,3 bilhões de reais. Mas a destinação de recursos ao Banco continuou mesmo depois da crise, com os aportes feitos entre 2010 e 2014 totalizando 412 bilhões de reais a preços de 2017.[17]

O Programa de Sustentação do Investimento (PSI), criado em 2009 para financiar a aquisição de bens de capital (como máquinas, equipamentos e caminhões) em meio à crise, foi renovado por seis anos consecutivos e concentrou boa parte dos recursos aportados pelo Tesouro.

Devido à diferença entre a taxa de juros de captação do Tesouro e as taxas de juros - mais baixas - praticadas pelo BNDES em seus empréstimos, ao longo do tempo esses repasses geraram um custo sobre as finanças públicas (um subsídio implícito) e tiveram impacto direto sobre a chamada dívida bruta, conforme se verá mais adiante. No entanto, esperava-se obter com isso uma realização substancial de investimentos privados que não ocorreriam por meio de fontes privadas de financiamento, com efeitos positivos sobre o crescimento econômico e a própria arrecadação tributária.

É difícil saber o que teria ocorrido com os investimentos privados no Brasil sem o aumento dos desembolsos do BNDES. Algumas estimativas parecem identificar um impacto significativo, outras não. O que se sabe é que o financiamento privado não supriria essa lacuna em setores cujo retorno do investimento se dá no longo prazo, como o de infraestrutura e de inovações.

Um estudo do FMI (2015a) estimou o multiplicador do crédito público no Brasil com dados entre 1999 e 2014 e concluiu que para cada 1 real em crédito concedido, a renda aumentou,

17 Foram aportados 130,2 bilhões de reais em 2010, 75,1 bilhões em 2011, 77,1 bilhões em 2012, 54,3 bilhões em 2013 e 75,1 bilhões em 2014, em valores convertidos para preços de 2017.

no acumulado, 3,8 reais. O mesmo estudo sugeriu, entretanto, que esse multiplicador diminuiu após a crise de 2008, além de ser menor para os empréstimos do BNDES do que para empréstimos da Caixa Econômica Federal e do Banco do Brasil.

Se boa parte das empresas já estava excessivamente endividada e esforçava-se para cumprir seus compromissos financeiros, como sugerem os dados do IBGE analisados por Felipe Rezende,[18] parece razoável supor que a capacidade de estímulo dessa política caiu junto com a própria desaceleração da economia e da demanda por investimentos. Afinal, a oferta de crédito, por si só, pode até viabilizar as decisões de investimento já tomadas, mas não é capaz de criar uma decisão de investimento.

A expansão do BNDES também foi muito criticada por supostamente contribuir para a obstrução dos chamados mecanismos de transmissão da política monetária. Em outras palavras, com uma parcela tão alta do crédito feita a taxas de juros subsidiadas, as elevações da taxa Selic pelo Banco Central perderiam uma parte do seu efeito sobre a inflação: aquele efeito que se dá pela contração do crédito às empresas e, assim, do investimento, desaquecendo a economia. O peso do BNDES e de outras categorias de crédito direcionado no total das operações seria uma das explicações para as altas taxas de juros no Brasil. Para combater a inflação, seria necessário subir mais os juros do que em outros países, por conta da segmentação do mercado de crédito.

Essa hipótese é no mínimo controversa. Dado o baixo desenvolvimento do mercado privado de financiamento de longo prazo no Brasil e os altos *spreads* cobrados pelos bancos privados sobre os juros básicos da economia, não está claro se o BNDES é mesmo o culpado pela ineficácia da política monetária em controlar a inflação ou se o Banco apenas supre uma lacuna

18 Ver, por exemplo, http://www.valor.com.br/opiniao/4658015/por-que-o-brasil-sofre-uma-das-piores-crises-de-sua-historia.

do mercado. O BNDES é o responsável pelos juros altos ou existe justamente porque os juros são altos?

Outro conjunto de críticas à expansão do crédito do BNDES está relacionado aos setores e empresas que obtiveram financiamento. Um banco de desenvolvimento tem como função financiar atividades que trazem benefício ao conjunto da sociedade e que seriam inviáveis caso dependessem do financiamento privado, a juros exorbitantes. Nesse sentido, a boa atuação de um banco de desenvolvimento requer um desenho de política industrial que oriente suas operações para setores estratégicos.

Assim como no caso das desonerações, embora não haja qualquer evidência de corrupção por parte do corpo técnico do Banco até o momento, a influência de grupos de alto poder econômico por meio de financiamento legal e ilegal de campanhas e atos de corrupção parece ter afetado também as diretrizes que chegavam ao BNDES.

Mas se a política industrial implementada não foi exatamente aquela que gostaríamos de ver, tampouco é verdade que o banco concentra todas as suas atividades - ou a sua maior parte - no fortalecimento de empresas pouco estratégicas, que já obteriam financiamento por fontes privadas.

As micro e pequenas empresas subiram sua participação no valor total desembolsado de 15,4% em 2007 para 23,8% em 2014. O número de operações de desembolso envolvendo micro e pequenas empresas passou de 81% para mais de 89% do total. O desembolso com operações de incentivo à inovação cresceu de 563 milhões de reais em 2009 para mais de 6 bilhões em 2015. O BNDES também foi um ator-chave para o desenvolvimento do setor de energia eólica no Brasil - desenhando sua estratégia e seu financiamento.

Já no caso das famílias, boa parte da expansão do crédito se deveu ao aumento do crédito imobiliário. A simples exclusão do endividamento imobiliário é suficiente para que o indicador de dívida total das famílias em relação ao PIB esteja em queda desde 2012. O Programa Minha Casa Minha Vida responde por parte desse aumento. Os recursos do Fundo de Garantia do Tempo de Serviço (FGTS) foram utilizados pela Caixa Econômica Federal para subsidiar o crédito imobiliário para determinadas faixas de renda: quanto menor a renda do mutuário, maior o desconto concedido.

Por fim, cabe destacar o papel das chamadas medidas macroprudenciais em frear o crédito livre para determinadas linhas de financiamento a pessoas físicas no primeiro ano de governo Dilma. Em particular, o aumento do requerimento de capital para operações de crédito para pessoas físicas com prazos superiores a 24 meses provocou uma redução no ritmo de expansão do crédito para veículos, que crescia 40,8% em dezembro de 2010 e passou a crescer 21,3% em outubro de 2011. O crédito consignado também foi afetado.

Essa e outras medidas implementadas nesse período foram flexibilizadas em novembro de 2011, após sinais de desaceleração do crédito privado. Embora tivessem o objetivo declarado de reduzir o risco no sistema financeiro, para alguns analistas seu objetivo tácito era ajudar no controle da inflação em um contexto de redução da taxa de juros básica.

A estagnação dos investimentos públicos

O ajuste fiscal do primeiro ano de governo Dilma atua como um verdadeiro freio de mão para a economia. Um dos motores do crescimento do período anterior, os investimentos do governo central caíram 19,6% em 2011, já descontando a inflação. Já os do setor público como um todo, que inclui, além do governo central, as estatais federais e as esferas estadual e municipal, caíram 13,4%.[19]

19 Dados da Instituição Fiscal Independente (2017).

Apesar do seu papel central como motor de crescimento da economia no curto e no longo prazo, os investimentos costumam ser a variável de ajuste por excelência em situações de consolidação fiscal. São várias as justificativas para cortes desproporcionais nessa rubrica em episódios de ajuste fiscal. Primeiro, há maior rigidez legal em outros componentes do gasto. Os gastos com saúde e educação, por exemplo, devem satisfazer um piso mínimo. As despesas previdenciárias também são obrigatórias. Segundo, há um foco excessivo dos governos no curto prazo, de modo que os retornos de longo prazo desses investimentos seriam negligenciados.

Mas, mesmo após o fim do ajuste fiscal de 2011, os investimentos públicos não voltaram a assumir o papel de pilar do crescimento econômico. Ao final do primeiro mandato de Dilma, em 2014, os investimentos do governo central eram 1,4% menores, em termos reais, do que no fim de 2010. O mesmo item tinha crescido 238,5% no acumulado entre o fim de 2005 e o fim de 2010.

Esses números referem-se apenas aos investimentos feitos diretamente pelo governo federal e não incluem, por exemplo, os subsídios do BNDES às empresas privadas ou do programa de moradia popular Minha Casa Minha Vida para aquisição de imóveis residenciais pelas famílias, nem as transferências de capital que financiam investimentos dos entes subnacionais.[20]

Quando comparamos o crescimento médio anual de todos os investimentos do setor público (incluindo também os

20 Dweck e Teixeira (2017) defendem que a parte dos recursos do programa Minha Casa Minha Vida oriunda do Fundo de Arrendamento Residencial (FAR) para a construção residencial tem mais caráter de investimento do que de subsídio, ao contrário do que ocorreria com o crédito subsidiado com recursos do FGTS. Os recursos do FAR, destinados à chamada Faixa 1 do programa, financiam 95% da construção dos imóveis (que não existiriam sem esses aportes) e atuam, portanto, de forma muito similar à contratação de uma obra pública pelo governo federal. Se acrescentarmos os recursos do FAR, os investimentos federais mantêm sua parcela no PIB relativamente estável entre 2011 e 2014, ao invés de cair.

investimentos das estatais federais e dos governos estaduais e municipais) nos diferentes períodos, vemos que houve queda de 1% ao ano entre 2010 e 2014,[21] frente a uma expansão de 17% ao ano entre 2006 e 2010.

A análise da evolução dos investimentos do setor público como proporção do PIB nas últimas duas décadas mostra que a taxa de investimentos públicos alcançou o auge de 4,6% do PIB em 2010, o que representa um acréscimo de 1,6 ponto percentual em relação aos 2,9% verificados em 2006. Em 2014, essa taxa estava em 3,94%.

A inflexão na trajetória dos investimentos públicos a partir de 2011 não tem uma explicação única. Uma das interpretações é de que houve uma reorientação da estratégia governamental, que passou a apostar mais nos incentivos ao setor privado e menos no investimento público direto. Além das desonerações tributárias, do crédito subsidiado via BNDES e dos subsídios associados ao programa Minha Casa Minha Vida, destaca-se o papel das concessões na área de infraestrutura. Estas envolvem a transferência temporária para a iniciativa privada de serviços que atendem o público.

O Programa de Investimento em Logística (PIL), anunciado em agosto de 2012, deu início a um plano de leilões de rodovias e ferrovias. Entre 2011 e 2014, o programa concedeu 5350 quilômetros em sete rodovias. Os investimentos públicos e privados em ferrovias, por sua vez, resultaram em 1088 quilômetros construídos. Em dezembro do mesmo ano, o governo estendeu o PIL para portos e aeroportos.[22]

21 A taxa de crescimento dos investimentos públicos entre 2010 e 2014 foi ligeiramente negativa (–1% ao ano) quando estes são convertidos para valores reais pelo deflator implícito do PIB e aproximadamente nula (0,3% ao ano) quando se utiliza o IPCA. **22** Foram concedidos, no período, os aeroportos de São Gonçalo do Amarante (RN), Guarulhos (SP), Viracopos (SP), Brasília (DF), Confins (MG) e Galeão (RJ).

Entre 2011 e 2014, os projetos de concessão mobilizaram um investimento total de cerca de 260 bilhões de reais em infraestrutura, a preços de 2017, distribuídos em aeroportos (35,8 bilhões), portos (14,1 bilhões), rodovias (48,8 bilhões), transporte urbano (13,1 bilhões), geração e transmissão de energia elétrica (131 bilhões) e telecomunicações (8 bilhões).[23]

O objetivo do plano de concessões era aumentar a participação dos investimentos privados na área de infraestrutura, além de reduzir o valor das tarifas e melhorar a qualidade dos serviços. Houve dificuldade do governo em compatibilizar tais objetivos, já que a prioridade para tarifas menores nos leilões não garantia os investimentos necessários na melhoria dos serviços. Por outro lado, a combinação dessas exigências reduziu drasticamente a taxa de retorno de boa parte dos projetos de concessão, afastando muitas empresas da concorrência. Por causa dessas dificuldades, o modelo teve de ser alterado diversas vezes, o que frustrou as previsões de que as concessões confeririam maior facilidade e rapidez aos investimentos em infraestrutura quando comparadas à realização direta desses investimentos pelo Estado.

Como aponta Orair (2016), a aposta no setor privado por meio de concessões, desonerações e subsídios não necessariamente exigiria uma retração nos investimentos públicos. Cabe considerar também o papel dos constrangimentos orçamentários, que se intensificaram a partir de 2011.

Nesse sentido, mesmo que não tenha havido uma intenção clara de substituir uma estratégia por outra, o custo fiscal elevado das desonerações e subsídios, quando combinado ao crescimento menor das receitas federais pela própria desaceleração econômica e ao crescimento estrutural de certos componentes

23 Dados da Secretaria de Acompanhamento Econômico do Ministério da Fazenda (http://seae.fazenda.gov.br/assuntos/regulacao-e-infraestrutura/informativo-de-infraestrutura/arquivos/inf_infraestrutura_2016), convertidos a preços de 2017 utilizando o IPCA.

dos gastos sociais (que vinham crescendo acima do PIB desde a década de 1990), aumentou as dificuldades do governo no cumprimento das metas de superavit primário.

Nesse contexto, nem o recurso à contabilidade criativa para alcançar a meta fiscal (por meio de receitas não recorrentes, ampliação forçada da margem de deduções e postergações de pagamentos) foi suficiente para evitar a imposição de maiores entraves orçamentários aos investimentos. Diante do conflito distributivo maior sobre as fatias do orçamento, perderam, mais uma vez, os investimentos.

Mesmo que não tenha sido intencional, o abandono dos investimentos públicos como pilar de crescimento a partir de 2011 introduziu uma objeção adicional à tese de André Singer, e até mesmo à dos economistas liberais críticos à política econômica do governo Dilma Rousseff. Afinal, dificilmente se atribui a alcunha de "desenvolvimentista" a um modelo em que os investimentos públicos em infraestrutura não são protagonistas.

Se considerarmos que, além disso, a política econômica privilegiou a redução de impostos como forma de estímulo ao crescimento, talvez seja mais fácil compará-la com a estratégia promovida por Ronald Reagan na década de 1980 ou com as propostas de reforma tributária de Donald Trump do que, por exemplo, com a atuação do governo chinês nas últimas décadas.[24]

Como apontou o Nobel de Economia Joseph Stiglitz em artigo de julho de 2017,[25] apesar das promessas de que beneficiaria o conjunto da economia, levando até mesmo a uma melhora na situação fiscal, a redução de impostos promovida por Reagan gerou crescimento menor e queda da arrecadação.

24 O modelo de crescimento chinês tem os investimentos públicos em infraestrutura como seu principal eixo, o que explica inclusive o aumento dos preços de minérios de ferro e outros produtos que exportamos ao longo dos anos 2000.

25 https://www.project-syndicate.org/commentary/tax-cuts-for-the-rich-solve-nothing-by-joseph-e--stiglitz-2017-07?barrier=accessreg

"Simplesmente não há base teórica ou empírica para isso [a suposição de que menores impostos estimulam o crescimento]", afirmou o economista.

Considerando os benefícios para o andar de cima, que essa estratégia seja seguida por um governo conservador como o de Reagan pouco surpreende, mas o que levou um governo brasileiro associado à esquerda a apostar suas fichas em uma política tão ampla de incentivos a grandes corporações?

Uma possível explicação pode estar relacionada à diminuição da margem de manobra para outras formas de estímulo a setores industriais na era da globalização. No desenvolvimentismo do pós-guerra, o incentivo ao desenvolvimento de setores estratégicos da indústria chegava através de tarifas de importação, taxas de câmbio diferenciadas e outros mecanismos hoje interditados pela Organização Mundial do Comércio (OMC). Sobrou a via da diminuição de impostos e do câmbio desvalorizado como forma de compatibilizar a tradição industrialista da presidente Dilma Rousseff com os interesses imediatos de um empresariado politicamente influente.

A deterioração fiscal

Os dados apresentados por Rodrigo Orair e Sergio Gobetti (2017), que excluíram os efeitos da contabilidade criativa e das manobras fiscais,[26] mostram que o governo Dilma começou

26 Do ponto de vista das estatísticas fiscais, as chamadas "pedaladas" fizeram com que as instituições financeiras mantivessem contas em aberto com valores a receber, só quitadas pelo Tesouro em 2015. Quando essas despesas são incluídas nos anos em que efetivamente ocorreram, pois os bancos públicos as honraram, e também é descontado o efeito de outras mudanças metodológicas nas estatísticas, o resultado primário entre 2011 e 2014 é muito menor do que o divulgado pelos órgãos oficiais.

com um forte aumento do resultado primário, que subiu quase um ponto percentual em relação ao PIB em 2011, mas que houve queda contínua nesse resultado nos anos seguintes. Em 2014, ano eleitoral, o Brasil experimentou o primeiro ano de deficit primário do governo central: o resultado primário ajustado é de -0,9% do PIB, ante 0,2% de superavit no pior resultado da série, observado em 1997.

Quando analisamos o chamado resultado primário estrutural, que exclui as variações das receitas e das despesas decorrentes de alterações no ciclo econômico (por exemplo, a queda da arrecadação que é fruto de redução do ritmo de atividade econômica ou o aumento da despesa com seguro-desemprego por conta da crise), temos uma visão melhor sobre o quão expansionista foi a política fiscal no período.

Ainda que as dificuldades metodológicas tornem quase impossível expurgar todo o efeito do ciclo econômico e reter apenas o resultado fiscal oriundo da escolha da política econômica, se o resultado primário estrutural aumentou (impulso fiscal negativo), a política fiscal no ano foi contracionista. Se diminuiu (impulso fiscal positivo), foi expansionista.

As estimativas de Orair e Gobetti para o resultado primário estrutural a partir dos dados fiscais ajustados mostram que a política fiscal foi contracionista em 2011, quase neutra em 2012 e expansionista em 2013. Somente em 2014, o chamado impulso fiscal foi maior (1,2%), e a política fiscal foi quase tão expansionista quanto em 2009 (1,8%), por exemplo, quando houve um forte estímulo fiscal pós-crise.

Nesse sentido, é verdadeira a assertiva de que houve expansionismo da política fiscal entre 2012 e 2014. O problema é que esse estímulo fiscal se deu sobretudo por meio de subsídios e desonerações, que se mostraram pouco efetivos em dinamizar a demanda agregada, e em detrimento dos investimentos públicos, que, como vimos, apresentam maior efeito multiplicador sobre a renda e o emprego no curto e no longo prazo.

Descontada a inflação medida pelo IPCA, o total de despesas primárias federais cresceu, em média, 5,2% ao ano no primeiro governo Dilma, ou seja, menos do que os 5,6% no segundo governo FHC e os 7,2% anuais nos dois governos Lula. Os gastos com o funcionalismo (despesas com pessoal e encargos) cresceram a taxas muito inferiores e tiveram sua menor expansão (1%) justamente no primeiro mandato de Dilma Rousseff. Nos dois mandatos de FHC, essa rubrica cresceu 5,9% ao ano.

Os investimentos públicos federais cresceram apenas 1% ao ano no período 2011-4, como mostra a tabela 1. Essa expansão havia sido de 27,6% anuais entre 2006 e 2010.

O mito da gastança talvez se apoie no aumento das despesas com benefícios sociais, incluindo aposentadorias e pensões do Instituto Nacional do Seguro Social (INSS), seguro-desemprego, Bolsa Família e outros. De fato, do ponto de vista das transferências de renda às famílias, não parece ter havido uma grande inflexão entre o período do Milagrinho e o primeiro governo Dilma. O programa Brasil Carinhoso, por exemplo, ampliou o benefício do Bolsa Família com foco nas crianças em situação de extrema miséria. Os demais benefícios sociais não tiveram modificação significativa em suas regras e continuaram crescendo com as mudanças demográficas, as transformações no mercado de trabalho e o próprio salário mínimo.

A valorização real do salário mínimo, por sua vez, foi garantida em fevereiro de 2011 por lei que determinou um reajuste anual dado pela soma da inflação do ano anterior e do crescimento do PIB de dois anos antes. Por exemplo, o reajuste em 2012 foi dado pela inflação de 2011 mais o crescimento real do PIB de 2010. A regra garantiu um aumento real médio de 3,0%

ao ano entre 2011 e 2014, uma taxa ligeiramente inferior à do período de 2006 a 2010, que foi de 5,9% ao ano

O que os dados mostram, no entanto, é que mesmo com a continuidade do processo de distribuição de renda, o total das despesas com benefícios sociais cresceu 5,8% ao ano no governo Dilma, ante 7,5% anuais no segundo mandato de FHC, por exemplo. Ou seja, esses gastos vêm crescendo acima do PIB desde 1999, tanto por fatores demográficos – o envelhecimento da população, por exemplo, faz crescer o valor dos benefícios previdenciários – quanto pelo aumento da formalização e do salário mínimo, mas não cresceram mais no governo Dilma do que nos governos anteriores.

O que causou a redução do resultado primário no governo Dilma foi, na verdade, o aumento das despesas com subsídios e o crescimento menor das receitas. Os subsídios foram a rubrica que mais cresceu entre as despesas primárias no período: mais precisamente, 20,7% ao ano entre 2010 e 2014. Aí inclui-se a injeção de recursos no Minha Casa Minha Vida e o subsídio implícito nos empréstimos do BNDES.[27]

Já a arrecadação federal cresceu apenas 2,9% ao ano no primeiro governo Dilma, ante 6,1% nos dois governos Lula e 8,4% no segundo governo FHC. Essa desaceleração se deve sobretudo à própria queda no ritmo de atividade econômica, mas também contou com o efeito das desonerações tributárias, cujo custo médio anual passou de 26,3 bilhões de reais entre 2006 e 2010 para 69,3 bilhões entre 2011 e 2014. Se nos concentrarmos apenas nas desonerações instituídas entre 2011 e 2014, seu custo subiu de 45,5 bilhões em 2012 para 74,8 bilhões em 2013 e 101,3 bilhões em 2014, ou seja, 1,8% do PIB.

27 Os recursos para o Minha Casa Minha Vida passaram de 0,1 para 0,3% do PIB entre 2011 e 2014 e o subsídio implícito nos empréstimos do BNDES subiu de 0,2% do PIB em 2010 para 0,4% em 2014.

Diante do crescimento menor das receitas e do crescimento maior de despesas com subsídios, o governo passou não apenas a contingenciar despesas não obrigatórias - entre as quais os investimentos públicos - como também a recorrer a medidas de geração de receitas não recorrentes (receitas extraordinárias e oriundas de contabilidade criativa), ao adiamento de pagamentos e à flexibilização dos critérios para as despesas que poderiam ser deduzidas da meta de resultado primário.

Como relata Orair (2016), o governo incluiu no PAC uma série de despesas que não são investimentos propriamente ditos (como algumas despesas com saúde, educação, segurança e subsídios do programa Minha Casa Minha Vida) e em 2013-4 passou a considerar também as desonerações tributárias como despesas dedutíveis do resultado primário. Essas manobras criaram uma situação paradoxal, em que as despesas executadas no âmbito do PAC dobraram, mas os investimentos do governo central ficaram estagnados entre 2011 e 2014, como já descrito. Ou seja, a utilização desse tipo de artifício, além de prejudicar a transparência, não serviu sequer para, em um contexto de desaceleração, abrir espaço fiscal para os investimentos públicos em infraestrutura.

Dívida pública

Após uma trajetória quase ininterrupta de queda iniciada em 2004, a dívida pública bruta como proporção do PIB começou a subir de forma contínua em meados de 2014. Já a dívida líquida, que desconta do passivo do governo os ativos acumulados (como reservas internacionais e créditos concedidos pelo BNDES), só ampliou sua participação no PIB a partir de setembro de 2015.

Esse descolamento entre a dívida bruta e a dívida líquida se deveu a dois fatores principais. Primeiro, a emissão de títulos públicos do Tesouro para aportar recursos ao BNDES não afetou, de imediato, a dívida líquida, pois houve ao mesmo tempo aumento do passivo e do ativo do governo. Ocorre que a dívida das empresas com o BNDES é um ativo do governo e um passivo para as empresas, enquanto os títulos públicos emitidos são um passivo do governo e um ativo para aqueles que compram esses títulos no mercado. Essas operações elevaram, no entanto, a dívida bruta, que só considera o lado do passivo, sem descontar ativos.

Além disso, a dívida líquida desconta as reservas internacionais acumuladas pelo Banco Central. Como o governo tem muito mais reservas do que dívida externa, quando o dólar sobe, a dívida líquida cai. E quando o dólar cai, a dívida líquida sobe. Sendo assim, com a alta do dólar em seguida à queda dos juros em 2011 e após o anúncio de que o Fed retiraria seus estímulos monetários, em 2013, as reservas internacionais brasileiras passaram a valer mais, reduzindo a dívida líquida.

Antes desse descolamento, o indicador utilizado para medir o endividamento do governo costumava ser a razão entre dívida líquida e PIB. Afinal, em tese, o governo pode vender seus ativos e pagar parte de sua dívida. Com o aumento da dívida bruta durante o primeiro mandato de Dilma, os analistas passaram a preocupar-se apenas com esse indicador.

Na realidade, a dívida bruta caiu de 53,8% do PIB em 2012, para 51,7% em 2013 e só iniciou sua trajetória de alta em 2014, quando subiu para 57,2%. Essa alta de 5,5 pontos percentuais foi o resultado de um aumento do estoque da dívida de 8,9 pontos percentuais, do qual subtrai-se 3,4 pontos percentuais pelo crescimento do PIB no ano, que eleva o denominador. Do total de 8,9 pontos de aumento, as novas emissões de dívida – para cobrir o deficit primário do ano ou aportar títulos ao BNDES, por exemplo – responderam por três pontos percentuais, enquanto o pagamento de juros sobre a dívida acumulada anteriormente contribuiu com 5,5 pontos percentuais.[28]

Em 2013, quando a dívida caiu 2,1 pontos percentuais em relação ao PIB, as emissões líquidas tiveram contribuição negativa de 2,5 pontos percentuais, o pagamento de juros contribuiu para uma elevação da dívida de 5,1 pontos percentuais e o crescimento do PIB para uma variação negativa de 5,2.

Ou seja, o aumento da dívida bruta em relação ao PIB em 2014 foi fruto de duas mudanças principais em relação a 2013: o deficit primário, que tornou positiva a contribuição das emissões líquidas, e o ritmo menor de crescimento do PIB (o denominador). Ainda assim, como se verá, o aumento da dívida bruta é ainda maior em 2015, após o início do ajuste fiscal, por conta dos juros maiores e da própria recessão.

Outro elemento que merece destaque, do ponto de vista da dinâmica do endividamento público, é que entre 2011 e 2012 a redução rápida na taxa básica de juros – a Selic – não trouxe uma redução de mesma magnitude na taxa de juros que incide sobre a dívida pública. Em termos numéricos, a contribuição do pagamento de juros nominais para a elevação da razão dívida-PIB

28 Dados do Banco Central do Brasil, Fatores Condicionantes da Dívida Bruta do Governo Geral. Os 0,4 pontos percentuais restantes devem-se ao chamado ajuste cambial: a alta do dólar eleva a parte da dívida que é denominada em dólar. A rubrica pagamento de juros inclui o custo dos chamados "*swaps* cambiais". Essas operações foram muito utilizadas pelo Banco Central para intervir no mercado de câmbio. Funcionam da seguinte forma: quando as expectativas dos agentes são de que o dólar vai subir, o Banco Central oferece um contrato que paga a variação do dólar até uma data estabelecida, oferecendo proteção aos agentes. Na prática, isso ajuda a frear a própria alta do dólar, pois evita que um grande número de agentes compre dólares no mercado à vista. Se o real de fato se desvaloriza, esses contratos geram "perdas" para o Banco Central, contribuindo para elevar a dívida pública bruta. A dívida líquida, como se viu, não aumenta, já que essas perdas são mais do que compensadas pela valorização das reservas internacionais.

passou de apenas 5,8 pontos percentuais em 2011 para 5,2 pontos percentuais em 2012.

Diferentemente da maior parte dos países, que têm a quase totalidade de sua dívida pública em títulos pré-fixados, ou seja, remunerados a uma taxa de juros fixada no mercado no momento da compra, o Brasil tem a maior parte dos seus títulos indexados à própria taxa Selic (definida pelo Banco Central), a índices de inflação e à própria taxa de câmbio. No início de 2012, as Letras Financeiras do Tesouro (LFTs) – títulos indexados à Selic – representavam mais de 40% do total da dívida bruta.[29]

Sendo assim, reduções da Selic pelo Banco Central têm impactos diretos na dinâmica da dívida pública, pois diminuem as remunerações sobre esses títulos. Da mesma forma, quando o Banco Central aumenta a taxa de juros básica, contribui diretamente para o aumento da dívida.

No entanto, os títulos indexados à inflação representavam, no início de 2012, mais de 20% da dívida bruta e os títulos indexados a câmbio, cerca de 5%. Como a redução da Selic é acompanhada de alta do dólar e aceleração da inflação, a taxa de juros que incide sobre o total da dívida bruta não cai tanto quanto a própria Selic.

Nos anos que se seguiram, os três fatores – aperto monetário, depreciação do real e inflação ainda elevada (de 5,9% em 2013 e 6,4% em 2014) – contribuíram para aumentar os juros que incidem sobre a dívida.

É importante ressaltar, por fim, que o aumento da dívida pública que caracterizou o final do primeiro governo Dilma

29 Com a queda da taxa de juros esperada e a entrada massiva de capitais estrangeiros, o Tesouro Nacional passa a mudar sua política de emissão de títulos públicos em 2010, reduzindo a parcela das LFTs, indexadas à Selic, e elevando a parcela de títulos pré-fixados e indexados à inflação. Esse período também coincide com um alongamento do prazo médio dos títulos brasileiros.

não está associado a um aumento do tamanho do Estado. Há muita confusão entre essas duas dimensões.

Um superavit primário maior que contribua para reduzir o endividamento do governo pode ser atingido quando a parcela de gastos públicos em relação ao PIB é elevada, contanto que estes últimos sejam menores do que o total da arrecadação em relação ao PIB. Analogamente, a dívida pública pode aumentar mesmo sem aumento dos gastos públicos em relação ao PIB, se a carga tributária estiver diminuindo. Por essa razão, membros do Partido Republicano nos Estados Unidos, que costumam defender reduções de impostos e uma diminuição do tamanho do Estado, são acusados frequentemente por membros do Partido Democrata de serem os verdadeiros irresponsáveis do ponto de vista fiscal, pois seus programas acabariam produzindo deficits maiores.

A carga tributária brasileira,[30] que subiu cinco pontos percentuais - de 27% para 32% do PIB - entre 1995 e 2002 e chegou ao patamar de 33,7% em 2007, se manteve relativamente estável desde então. O que mais contribuiu para elevar a arrecadação entre 2005 e 2014 foram os tributos sobre a folha de pagamentos e os rendimentos do trabalho, devido à expansão da massa salarial e do nível de emprego formal no período. Os impostos sobre o lucro das empresas e sobre bens e serviços, ao contrário, contribuíram para uma redução da carga tributária de 2,3 pontos percentuais.

Ainda assim, boa parte dos analistas econômicos e políticos passou a atribuir ao conjunto de governos do PT a responsabilidade por um suposto colapso fiscal, causado pela gastança, o excesso de Estado, a distribuição de renda. Desde então, a defesa do ajuste fiscal se confundiu com a defesa de

30 Para uma análise da evolução da carga tributária, ver Orair (2015).

um Estado menor, que se tornou também a própria agenda de crescimento econômico.

O fim do ganha-ganha dos anos do Milagrinho e o acirramento dos conflitos distributivos sobre o orçamento público e a renda gerada no país levaram boa parte do próprio setor empresarial – principal beneficiado pela expansão fiscal do primeiro governo Dilma, que se deu sobretudo pela via das desonerações tributárias e outras formas de subsídio às margens de lucro – a defender essa estratégia.

O debate econômico nas eleições de 2014

Após fechar o ano de 2013 em 5,91%, a inflação medida pelo IPCA chegou em setembro de 2014 a 6,75% no acumulado em doze meses. Essa aceleração da inflação, em boa parte causada pela alta do dólar, se deu em meio a uma desaceleração da economia, que havia fechado o ano de 2013 com 3% de crescimento real, mas cresceu em 2014 apenas 0,5%, a menor taxa anual desde a crise internacional de 2008-9.

A desaceleração pôde ser observada em todos os componentes do PIB. O consumo das famílias passou de um crescimento de 3,5% em 2013 para 2,3% em 2014. A formação bruta de capital fixo, que teve em 2013 o seu melhor ano desde o início do governo Dilma (tinha crescido 5,8%), caiu 4,2% em 2014. Já as exportações, que cresceram 2,4% em 2013, sofreram retração de 1,1% em 2014.

Além da ineficácia da política econômica em gerar os estímulos prometidos, o Brasil também sofreu os impactos de uma queda brusca no preço das commodities. Entre junho e dezembro de 2014, o índice de preço das commodities divulgado pelo FMI sofreu queda acumulada de 29,3%. Uma queda que, aliás, chegou a ser de 55%, antes de ser interrompida em janeiro de 2016.

Apesar da inflação mais alta e do crescimento menor, o debate eleitoral se iniciou em meio ao desemprego ainda baixo e estável. No terceiro trimestre de 2014, a taxa de desocupação medida pela PNAD Contínua foi de 6,8%, ante 6,9% no mesmo trimestre de 2013 e 7,1% no mesmo trimestre de 2012.

As leituras diferentes desse cenário econômico acabaram pautando boa parte do debate entre os candidatos do segundo turno das eleições presidenciais. Enquanto Aécio Neves destacou a alta da inflação e a deterioração dos indicadores de atividade econômica e fiscais para defender uma política econômica mais austera, Dilma Rousseff responsabilizou a crise internacional pelo desempenho mais fraco da economia, chamou a atenção para o nível de emprego ainda elevado e defendeu a continuidade da política econômica.

Em seu programa econômico, Aécio Neves prometia levar a inflação para o centro da meta (de 4,5% ano) em um prazo de até três anos e acumular superavits primários suficientes para reduzir as dívidas públicas bruta e líquida como proporção do PIB. Para tanto, afirmou que limitaria os gastos públicos, no máximo, à taxa de crescimento do PIB. Difícil esquecer que, no plano político, também prometia que sua mera eleição representaria o fim da corrupção e da influência indevida dos interesses empresariais nas decisões de política econômica.

Ainda no primeiro turno, no debate da TV Bandeirantes, Dilma Rousseff, por sua vez, afirmou que, ao enfrentar uma das mais graves crises internacionais da história, tinha recusado "a velha receita", ou seja, aquela que deixava "a conta para o trabalhador pagar, desempregava, arrochava salários, aumentava impostos e aumentava tarifas". Dilma acrescentou que estavam dadas as condições para "um novo ciclo de crescimento", em decorrência dos "pesados investimentos em infraestrutura e educação".

3.
A panaceia fiscal: um passo atrás

Após vencer as eleições com 51,6% dos votos, na defensiva, Dilma Rousseff surpreendeu o país ao nomear ministro da Fazenda o economista do Banco Bradesco Joaquim Levy. "Fora o Meirelles, é difícil encontrar alguém mais ortodoxo do que o Joaquim no Brasil", avaliou o também liberal Edmar Bacha, em entrevista ao jornal *Valor Econômico*, em janeiro de 2015.[1]

Ainda em novembro de 2014, após aceitar o posto, Joaquim Levy anunciou que faria um ajuste fiscal rápido, que nos levaria diretamente do deficit de 0,6% do PIB para um superavit primário de 1,2% em 2015 e de 2% em 2016 e 2017.

As medidas de ajuste divulgadas entre o fim de 2014 e o início de 2015 incluíam uma redução de 58 bilhões de reais nos gastos com o PAC; uma economia de 18 bilhões pela alteração das regras para recebimento de seguro-desemprego, abono salarial e auxílio-doença; uma receita adicional de 12,2 bilhões pelo aumento das alíquotas de PIS/Cofins e da Cide sobre combustíveis; uma arrecadação extra de 5,3 bilhões pela redução da desoneração da folha (aumento da alíquota de 1-2% para 2,5-4,5%) e de 5 bilhões pela volta do IPI para veículos, entre outras iniciativas de menor impacto arrecadatório.

Ou seja, o conjunto das medidas que pretendiam gerar maior arrecadação para o governo federal já não somava nem a metade

1 http://www.valor.com.br/brasil/3858712/para-bacha-ninguem-e-mais-ortodoxo-que-levy

da economia almejada com o corte de investimentos do PAC. Essa proporção foi ainda pior na prática, dada a resistência do Congresso em aprovar aumentos de impostos. O resultado é que, mais uma vez, os investimentos públicos tornaram-se a principal variável de ajuste em meio à consolidação fiscal, o que ajudou a agravar a própria crise econômica.

Mas as políticas recessivas não pararam por aí. Os preços administrados, que vinham sendo represados, foram reajustados de forma brusca e cresceram 18,1% no ano. Os maiores aumentos se deram nas tarifas de energia elétrica (51%) e nos preços do gás de bujão (22,6%) e da gasolina (20,1%).

Diante da aceleração da inflação, puxada principalmente por esse reajuste rápido de preços administrados, o Banco Central acabou elevando a taxa de juros básica da economia por cinco reuniões consecutivas. A taxa Selic passou, em termos nominais, de 11,75% em dezembro de 2014 para 14,25% em julho de 2015 – patamar em que foi mantida até outubro de 2016.

Mas as políticas fiscal e monetária não foram os únicos fatores a contribuir para transformar a desaceleração econômica dos anos 2011-4 em uma das maiores crises de nossa história. A crise política, os efeitos da Operação Lava Jato sobre os setores de construção civil e petróleo, a forte desvalorização do real e a queda dos preços dos produtos que exportamos também contribuíram para o trágico desempenho da economia brasileira em 2015.

O estelionato eleitoral

No dia 22 de julho de 2015, a equipe econômica do governo anunciou que reduziria a meta de superavit primário do setor público de 1,2% para 0,15% do PIB. As metas para 2016 e 2017, por sua vez, despencaram de 2% para 0,7% e 1,3% do PIB, respectivamente. Na ocasião, o ministro Joaquim Levy também anunciou um novo corte no Orçamento, contribuindo para tornar 2015 o ano com o maior volume de recursos contingenciados desde a criação da Lei de Responsabilidade Fiscal, em 2000.

A inviabilidade da meta fiscal que havia sido anunciada pelo ministro da Fazenda no final de 2014 não surpreendeu a maior parte dos analistas. Afinal, naquela altura, as projeções já giravam em torno de uma recessão de 2% do PIB no ano (essa contração acabou sendo de 3,5%). Com tamanha redução no nível de atividade econômica, a arrecadação federal já tinha caído 2,9% no primeiro trimestre.

Nesse contexto, nem o mais épico dos ajustes poderia levar o governo ao tal superavit de 1,2% do PIB. Somente os que realmente acreditavam que o comportamento exemplar do ministro da Fazenda seria mesmo capaz de trazer de volta o otimismo, a confiança e a pujança dos investimentos privados ainda consideravam a meta factível.

Diante do desempenho cada vez pior da economia e do desequilíbrio crescente nas contas públicas, os defensores da estratégia passaram a vender a ideia de que o ajuste fiscal não havia sido posto em prática devido a uma suposta resistência da própria presidência da República e do Congresso.

Na realidade, as despesas primárias efetivas do governo federal caíram 2,9% no ano em termos reais.[2] Se excluirmos as despesas com a Previdência, que não podiam ser cortadas, a queda chega a 6,1%.

O problema é que, entre os mais de 2% do PIB em medidas de ajuste aprovadas em 2015, não constaram, por exemplo, o fim da maior parte das desonerações tributárias concedidas ao

2 Esse número exclui as despesas com as chamadas "despedaladas", ou seja, o pagamento atrasado do Tesouro Nacional aos bancos públicos relativo aos benefícios pagos em 2014.

setor empresarial, a implementação do teto de remunerações de 33,7 mil reais para os servidores públicos ou a volta da CPMF. Já os investimentos públicos caíram cerca de 37%.[3]

Ao contrário do que havia sido prometido, as medidas fiscais recessivas e o baixo crescimento projetado só contribuíram para fazer despencar a confiança dos investidores,[4] que, depois de uma pequena recuperação no fim de 2014, caiu mais de 20% no primeiro semestre de 2015. Os investimentos privados também caíram 11,6% só no primeiro semestre e 13,9% no acumulado do ano.

O mercado de trabalho não podia deixar de sentir um golpe dessa magnitude. Os dados da PNAD Contínua apontam uma elevação do desemprego de 6,2% ao final de 2014 para 9% ao final de 2015. O desemprego maior e, consequentemente, o poder de barganha menor dos trabalhadores levaram a uma queda de 2,7% no salário real médio. A elevação do desemprego e a queda dos salários de trabalhadores pouco qualificados também se encarregavam de reverter rapidamente a redução da desigualdade salarial conquistada nos anos 2000.

Nesse contexto, as famílias passaram a reduzir os gastos para tentar honrar seus compromissos financeiros, o que explica uma redução de 3,9% no consumo. Foi o primeiro ano de retração no consumo das famílias desde 2003, quando houve queda de 0,5%.

Com o PIB e a arrecadação menores, o deficit primário aumentou de 17 bilhões de reais em 2014 para 111 bilhões em 2015, apesar do corte de despesas. A dívida líquida do setor público, por sua vez, passou de 32,6% do PIB em dezembro de 2014 para 35,6% em dezembro de 2015. Já a dívida bruta saltou de 56,3 para 65,5% do PIB.

3 O dado de investimento do governo central foi obtido no Relatório de Acompanhamento Fiscal de dezembro de 2017 da Instituição Fiscal Independente (2017), descontando a inflação medida pelo IPCA. 4 A queda foi medida a partir do Índice de Confiança da Indústria do Ibre-FGV.

Uma decomposição dos fatores que levaram ao aumento de 9,3 pontos percentuais na dívida bruta em relação ao PIB mostra, no entanto, que o deficit primário sequer foi o principal responsável por essa elevação. Os componentes que mais destoaram dos anos anteriores foram o pagamento de juros, que aumentou sua contribuição, e o crescimento do PIB, que passou a colaborar menos para a redução da razão dívida-PIB.[5] No caso dos juros, o aumento não decorreu apenas da elevação da Selic, mas sobretudo do impacto da alta do dólar em 2015, que elevou o pagamento relativo aos *swaps* cambiais.

Diante do fracasso da estratégia, que prometeu ajuste rápido e retomada da confiança, mas entregou um forte incremento na dívida pública, uma inflação de 10,67%, uma queda de 3,5% no PIB e a perda de grau de investimento por agências de classificação de risco, a presidente Dilma anunciou em meados de dezembro que substituiria, no Ministério da Fazenda, Joaquim Levy por Nelson Barbosa, que até então comandava a pasta do Planejamento.

A dominância política

Embora não se note uma alteração substancial no discurso da equipe econômica, a nomeação de Barbosa foi interpretada por muitos analistas como derivada de uma opção de Dilma por um maior gradualismo nos planos de ajuste fiscal. Afinal, enquanto era ministro do Planejamento, Barbosa havia defendido

5 Enquanto as emissões líquidas contribuíram apenas com 2,3 pontos percentuais – ante 3 em 2014 –, o pagamento de juros nominais respondeu por 7,6 pontos percentuais do total – ante 5,5 em 2014. Já o crescimento do PIB, que havia contribuído com uma redução de 5,2 pontos percentuais em 2013 e 3,4 em 2014, reduziu sua contribuição para −2,1.

um maior "realismo fiscal", o que se daria pela adoção de metas menos ambiciosas e mais factíveis.

Confirmando essas previsões, o governo enviou ao Congresso uma proposta de redução da meta de resultado primário em março de 2016. "Nesse contexto de retração, achamos adequado mudar a meta fiscal para que o governo não empurre mais a economia para baixo", disse Nelson Barbosa. "Pelo contrário, para que possa ajudar a economia a se estabilizar e para que o crescimento do emprego e da renda se recupere mais rapidamente".

Antes disso, em fevereiro, o governo já havia antecipado o desenho de um pacote fiscal que garantiria o reequilíbrio das contas públicas no médio e no longo prazo, além da intenção de reformar a Previdência. A proposta estabelecia uma regra para limitar o crescimento dos gastos públicos em relação ao PIB e uma série de ajustes automáticos para o caso de descumprimento da regra.[6]

Na primeira etapa prevista pela proposta, além de não serem concedidas novas desonerações, seriam interrompidos os aumentos reais de despesas de diversos tipos, incluindo salários de servidores, novos concursos e outros itens. Caso esses cortes não fossem suficientes, uma segunda etapa congelaria as despesas em termos nominais. E finalmente, seria suspenso o aumento real do salário mínimo, entre outras medidas impopulares.

Se o Congresso e o conjunto de agentes econômicos fossem compostos de economistas genuinamente preocupados com a estabilização da dívida pública, a estratégia talvez tivesse funcionado para compensar a redução da meta fiscal e angariar algum apoio à equipe econômica. Mas essa venda

6 O novo pacote fiscal se transformou no Projeto de Lei Complementar 257 enviado ao Congresso.

casada não arrancou nenhum aplauso da oposição e ainda serviu para esfriar os ânimos da base do governo, que a essa altura já protestava contra o ajuste fiscal de Dilma e clamava por uma reforma tributária progressiva e outras formas de reequilibrar as contas.

Em 15 de janeiro, Dilma já tinha declarado a jornalistas no Planalto: "Acho que a questão mais importante para o país é a Previdência". Olhando em retrospecto, a escolha da Previdência – e não do emprego – como a maior de todas as preocupações em meio à crise econômica e política mais profunda das últimas décadas talvez faça de Dilma a maior líder antipopulista da história brasileira.

Mas para tentar estabelecer uma agenda de retomada, a presidente também se reuniu com empresários, banqueiros e outros representantes da sociedade civil no chamado "Conselhão" – o Conselho de Desenvolvimento Econômico e Social. Algumas falas do ministro da Fazenda, Nelson Barbosa, e do ex-presidente Lula sugeriram que um dos caminhos seria o estímulo ao crédito para consumo e investimento, via bancos públicos.

Tais medidas poderiam gerar algum resultado em setores específicos, mas certamente não teriam a capacidade de induzir uma retomada do consumo e do investimento no conjunto da economia. Afinal, em períodos de crise econômica e insegurança sobre o futuro, os agentes privados não desejam consumir e investir mais. Muitos têm seus rendimentos cada vez mais comprometidos pelo desemprego, pela inflação e pelo pagamento de juros e amortizações de dívidas contraídas no passado. Quando o setor privado está em processo de desalavancagem, é o Estado que deve voltar a investir, gerando empregos e renda.

Por um lado, as conversas sobre o estímulo ao crédito sugeriam que o governo tinha entendido que não podia continuar liderando o clube das expectativas desfavoráveis com seu discurso pautado havia um ano apenas pelo ajuste fiscal. Por outro lado, a equipe econômica ainda teimava em aderir ao consenso liberal conservador de que não havia espaço fiscal para a retomada dos investimentos públicos. Expandir o crédito parecia, naquele contexto, a única agenda de crescimento viável.

Em meio à crise política que marcou os meses pré-impeachment, a fragilidade das bases de sustentação do governo era tão evidente que a necessidade de costurar acordos implicava formular uma política econômica capaz de atender às pressões dos setores com maior influência. A avaliação do impacto das medidas sobre o crescimento econômico, a inflação e o bem-estar da população ficava relegada ao segundo plano.

Atendendo a grupos de pressão diversos, que tinham peso político maior ou menor ao longo do tempo, não surpreende que as políticas desenhadas apresentassem inconsistências. O problema é que políticas equivocadas do ponto de vista econômico acabavam por aprofundar o domínio da política sobre a economia, na medida em que a falta de crescimento e a inflação mais alta acirravam os conflitos distributivos e fragilizavam ainda mais uma eventual base de sustentação.

Antes de seu afastamento definitivo pelo Senado, Dilma anunciou um reajuste médio de 9% nos benefícios do Bolsa Família e uma série de outras medidas logo rotuladas, no conjunto, de "caixinha de bondades" da presidente. Na ocasião, o então presidente da Câmara, Eduardo Cunha, afirmou ao jornal *O Globo* que "não são bondades. São maldades com a população, porque o deficit tem consequências e quem paga são todos os contribuintes".

Cunha escondeu que a Câmara dos Deputados também foi responsável por não ter fechado a caixa de bondades aberta para os grandes empresários durante o primeiro mandato de Dilma. A caixinha de maldades aberta pela presidente em

2015, por sua vez, não serviu nem para salvar a economia, nem para minimizar sua falta de sustentação política.

A panaceia do impeachment

No texto "Accounting Devices and Fiscal Illusions", Irwin (2012) classifica os artifícios que têm sido usados nos diversos países desde a crise de 2008 para cumprir metas fiscais de curto prazo às custas de uma piora futura no orçamento.

O primeiro artifício consiste na geração de receitas que elevam gastos futuros. O artigo cita as incorporações de sistemas privados de previdência por vários governos europeus, contabilizadas como receita apesar da obrigação futura de pagamentos de aposentadorias.

O segundo artifício é a geração de receitas imediatas que reduzem receitas futuras. Irwin inclui aí as privatizações, na medida em que o governo arrecada com a venda de ativos, mas passa a não contar com possíveis lucros daí originados.

Na terceira modalidade são reduzidos os gastos hoje, mas também as receitas futuras. A nota cita as concessões ao setor privado para investimentos em infraestrutura, que reduzem os investimentos públicos, mas também retiram do governo, por exemplo, as receitas obtidas com pedágio (líquidas dos custos de manutenção).

Por fim, o quarto tipo de manobra inclui as reduções de gastos que elevam custos futuros, os chamados adiamentos de pagamentos. O artigo menciona uma ocasião em que o governo norte-americano, na última semana do ano, adiou o pagamento de benefícios do Medicare, o sistema de saúde do governo americano, para o ano seguinte.

No caso que ficou conhecido no Brasil como "pedalada fiscal", em vez de atrasar o pagamento aos beneficiários, o governo adiou o pagamento aos bancos públicos, que, por sua vez, pagaram os benefícios em dia. Do ponto de vista das consequências para a população, certamente esse procedimento é menos grave do que o atraso do Medicare. No entanto, de acordo com a Lei de Responsabilidade Fiscal (LRF), não é crime a população "financiar" o governo enquanto não recebe seus benefícios, mas é crime um banco público realizar operações de crédito para o próprio governo.

O critério é duvidoso, já que os fluxos de pagamentos do Tesouro para a Caixa e da Caixa para os beneficiários nunca coincidem no tempo. Por isso o Tesouro paga juros à Caixa pelos dias em que o saldo em sua conta de suprimento é negativo, e recebe juros pelos dias em que é positivo.

Quantos dias de atraso caracterizam uma operação de crédito? A LRF não esclarece, mas o Tribunal de Contas da União julgou que, em 2014, pela primeira vez, os dias de deficit foram numerosos e o volume de atrasos grande o suficiente para serem interpretados como empréstimo.

No dia 2 de dezembro de 2015, logo após os deputados do PT anunciarem que votariam pela continuidade de seu processo de cassação no Conselho de Ética, Eduardo Cunha aceitou o pedido de impeachment da presidente Dilma Rousseff. No documento que justificou sua decisão, Cunha afirma que "não se pode permitir a abertura de um processo tão grave [...] com base em mera suposição de que a presidente da República tenha sido conivente com atos de corrupção". Já sobre as pedaladas de 2014, Eduardo Cunha alerta: "os fatos e os atos supostamente praticados pela denunciada em relação a essa questão são anteriores ao atual mandato".

Embora as pedaladas tenham ficado mais conhecidas, o foco acabou recaindo sobre outra denúncia: a de que em 2015 a presidente teria assinado seis decretos de abertura de créditos suplementares, cujo valor seria incompatível com o cumprimento da meta fiscal.

Talvez cause estranheza aos futuros estudiosos que, em 2001 e 2009, a emissão de decretos de crédito suplementar em meio a um quadro fiscal deteriorado não tenha provocado espanto. A denúncia só apareceu no segundo pedido de impeachment dos advogados Hélio Pereira Bicudo e Miguel Reale Júnior, entre outros, realizado em 15 de outubro de 2015.

Como o Orçamento é elaborado quase meio ano antes da sua execução, caso uma determinada ação orçamentária tenha obtido autorização inferior à necessária, ministérios e demais poderes podem solicitar a abertura de créditos suplementares. O instrumento permite que o governo, desde que respeitadas as imposições constitucionais e a necessidade de aprovação do Orçamento no Congresso, escolha como utilizar seu espaço fiscal remanescente. A razão é simples: a mesma meta pode ser obtida com menos gastos com saúde, educação e benefícios sociais, ou com menores salários de magistrados, por exemplo.

Os decretos de 2015 totalizaram 95 bilhões de reais, dos quais 92,5 bilhões foram compensados com o cancelamento de outras dotações orçamentárias e 708 milhões referiram-se a despesas financeiras que não entram no cálculo do resultado primário, de modo que a denúncia se aplicava apenas ao valor restante, de 1,8 bilhão. Desse total, cerca de 70% destinaram-se ao Ministério da Educação para itens como Ciência Sem Fronteiras, universidades federais e hospitais de ensino.

Não se pode dizer que esses decretos ampliaram o total de despesas que poderia ser executado por cada órgão. O que fizeram foi possibilitar a realocação interna de recursos entre rubricas, já que o limite total para a execução foi definido pelos decretos de contingenciamento.

A criminalização dos decretos – previstos em lei desde 1964 e utilizados por todos os presidentes desde então – reforçou uma tendência mais geral de criminalização da política fiscal, blindando-a cada vez mais contra o próprio processo democrático que, ele sim, deveria decidir as prioridades orçamentárias.[7]

Mas a relação íntima entre o impeachment de Dilma Rousseff e a crise econômica vivida pelo país não se encerra aí. Enquanto a parte legal do processo de impeachment concentrava-se em supostos crimes orçamentários de Dilma, os discursos políticos ignoravam o ajuste de 2015 e atribuíam à irresponsabilidade fiscal da presidente um papel central na crise vivida pela população.

No início de 2016, duas teses principais dominavam o debate econômico. A primeira sustentava que o ajuste não tinha sido feito, ignorando que o aumento do deficit primário se deu apesar dos cortes substanciais nos gastos discricionários, pela queda ainda maior nas receitas.

A segunda culpava a própria figura da presidente Dilma Rousseff pela falta de confiança dos investidores. Muitos sustentavam que o impeachment mataria dois coelhos com uma cajadada só. A saída de Dilma e a governabilidade conquistada a partir da aliança entre o Partido do Movimento Democrático Brasileiro (PMDB) e partidos de oposição resolveriam não apenas o impasse político, mas também a ausência de investimentos privados.

7 Dois dias após o fim do processo de impeachment de Dilma, votado no dia 31 de agosto, uma lei aprovada pelo Senado modificou os limites para a abertura de créditos suplementares sem necessidade de autorização do Congresso. O limite para tal remanejamento de recursos era de 10% do valor da despesa e foi ampliado para 20%. A criminalização da política fiscal e o uso e abuso das críticas ao conjunto da obra entre senadores geraram tal confusão na opinião pública que até uma razoável flexibilização no teto de remanejamento viralizou na internet sob o slogan "pedalada não é mais crime". Além da confusão com o outro pretexto usado na votação do impeachment, no qual atrasos no pagamento a bancos públicos configurariam operações de crédito ou "pedaladas", a lei aprovada não fez com que deixasse de ser crime a assinatura de decretos de crédito suplementar. Nunca foi crime remanejar recursos sem a autorização do Congresso, desde que respeitados os limites previstos por lei.

Mas, se a política de ajuste fiscal do governo Dilma só vinha contribuindo para minar as expectativas de crescimento – aquelas que realmente importam para que agentes privados voltem a consumir e investir –, as propostas de Temer já apontavam para um cenário ainda pior.

O programa Uma Ponte para o Futuro apresentado pelo vice-presidente Michel Temer a empresários paulistas ainda em dezembro de 2015 já soava como um túnel para o passado. As propostas partiam do diagnóstico de que o ajuste fiscal conjuntural era insuficiente, pois os direitos adquiridos pela sociedade brasileira no período de redemocratização já não caberiam no Orçamento público. Em vez de imaginar estratégias para sanar os problemas fiscais pela via do crescimento econômico, da preservação de empregos e da redução da conta de juros, o programa do PMDB, que, como se verá, foi seguido à risca, começava com a flexibilização de leis trabalhistas, o fim da obrigatoriedade de gastos com saúde e educação e a desindexação de benefícios previdenciários ao salário mínimo. O texto também afastava a hipótese da elevação de impostos como caminho para o ajuste das contas públicas.

"Nossa crise é grave e tem muitas causas. Para superá-la, será necessário um amplo esforço legislativo, que remova distorções acumuladas e propicie as bases para um funcionamento virtuoso do Estado", rezava o programa. "Isso significará enfrentar interesses organizados e fortes, quase sempre bem representados na arena política".

Ao que parecia, os interesses organizados e fortes que seriam enfrentados não eram mesmo os dos financiadores de campanhas eleitorais, mas sim os dos trabalhadores e movimentos sociais – apoiadores ou críticos ao governo – que estavam indo às ruas contra o impeachment da presidente Dilma Rousseff.

Alguns dias depois do lançamento do programa, a Fiesp oficializou seu apoio ao impeachment. A decisão da federação já havia sido antecipada na véspera: símbolo da campanha "Não vou pagar o pato", pela redução de impostos, o pato inflável passou a animar manifestantes pelo impeachment na avenida Paulista. Poucos pareciam notar que a Fiesp não só não estava pagando o pato, como representava os principais beneficiados pela expansão fiscal do primeiro governo Dilma e, desde o início da crise, trabalhava para impor seu custo ao restante da população.

Antes da votação do impeachment na Câmara dos Deputados em abril, um editorial do jornal *Folha de S. Paulo,* intitulado "Paradoxo econômico"[8], descrevia o que seria uma grande contradição na conjuntura brasileira dos primeiros meses de 2016. A combinação entre recessão profunda e valorização do real e da Bovespa só poderia ser explicada pelas expectativas favoráveis do mercado quanto a uma eventual queda da presidente Dilma Rousseff. Tal comportamento sinalizaria que a mudança de expectativas dos agentes econômicos em caso de derrubada da presidente eleita seria capaz de destravar decisões de investimento e de consumo, puxando assim o crescimento.

A relação entre preços de ativos financeiros e economia real é assunto de grande interesse para a macroeconomia. Por um lado, é evidente que crises financeiras de altas proporções podem levar à recessão e ao desemprego. Por outro lado, os agentes do mercado respondem pouco aos chamados fundamentos macroeconômicos e muito à expectativa sobre o que farão os demais agentes. Tal conduta leva à ocorrência de profecias autorrealizáveis e bolhas financeiras que nada têm a ver com crescimento econômico e, menos ainda, com o bem-estar da população. Por essa razão, os resultados de pesquisas empíricas cada vez mais contraindicam o uso de índices do mercado financeiro nas previsões sobre o desempenho da economia real, e vice-versa.

8 http://www1.folha.uol.com.br/opiniao/2016/03/1749973-paradoxo-economico.shtml

Há no Brasil, no entanto, uma variável que explica grande parte dos movimentos na Bolsa de Valores, no mercado de câmbio e, em um prazo mais longo, no próprio PIB. E não se trata de variável interna, como as manchetes sobre depoimentos do ex-presidente Lula, sua nomeação para chefe do governo, queda eventual da presidente Dilma Rousseff ou do presidente do Banco Central. Ainda que tais notícias possam suscitar reações de manada ao longo do dia, as tendências de valorização ou desvalorização do real e do Ibovespa dependem muito dos preços de commodities no mercado internacional. A elevação desses preços nas semanas que antecederam ao editorial em questão levou à valorização das principais moedas emergentes, entre as quais a brasileira. Pior do que a atribuição exagerada de fatores internos – sobretudo políticos – a esses movimentos em meio a um contexto de liberalização financeira global é a associação direta entre otimismo dos mercados e retomada da economia.

No cenário de depressão e capacidade ociosa em que se encontrava a economia brasileira, as expectativas relevantes para a volta do investimento na ampliação de capacidade produtiva teriam de estar associadas a uma perspectiva concreta de crescimento da demanda. Tal reversão de expectativas exigia muito mais que uma mera aposta generalizada na compra de ativos financeiros, que sempre beneficiou sobretudo a nossa pequena e influente população de detentores de riqueza.

Ainda assim, na ocasião da votação da admissibilidade do impeachment na Câmara dos Deputados, já havia um consenso entre alguns setores do empresariado, do mercado financeiro e do Congresso de que a queda da presidente eleita era o melhor caminho para águas mais calmas. Com Michel Temer na Presidência, a tão desejada estabilidade criaria as bases para a resolução das crises política e econômica.

A votação na Câmara serviu para desnudar para os espectadores – brasileiros, estrangeiros e favoráveis ou não ao impeachment – o que havia de mais assombroso no nosso sistema de representação política. Embora tenha ganhado alguma centralidade após a eclosão das manifestações de junho de 2013, a crise de representatividade tinha perdido espaço nos últimos anos para as preocupações, não menos importantes, com a corrupção e a economia. Mas, desde o afastamento de Dilma Rousseff, o que era uma crise política e econômica profunda transformou-se em caos institucional. A sociedade atônita perdia horas de trabalho tentando entender as frequentes reviravoltas que se atropelavam na velocidade da luz para, ao final do dia, ver reforçada sua descrença na política e nas instituições brasileiras.

Ao chegarmos exaustos ao que era, na verdade, a linha de partida – o Senado julgaria o processo por 180 dias –, uma parte crescente da sociedade já questionava suas antigas convicções de que tudo valia a pena em nome de supostas promessas de estabilidade.

Mas, se não era a população a beneficiada por esse processo tumultuado, muitos conseguiram vender caro o seu apoio ao impeachment. Seriam recompensados com cargos no governo federal, contratos governamentais e fatias maiores no Orçamento público.

No mercado financeiro, também havia beneficiários da volatilidade do processo. O pedido de anulação das sessões de impeachment pelo presidente interino da Câmara Waldir Maranhão,[9] por exemplo, apesar de ter durado pouco, rendeu bons ganhos aos que já sabiam ou apostaram primeiro na alta do dólar e na queda do preço das ações na Bolsa de Valores.

9 http://www1.folha.uol.com.br/poder/2016/05/1769617-maranhao-decide-revogar-decisao-que-anulou-sessao-do-impeachment.shtml

As discussões que permearam a defesa de Dilma no Senado, iniciadas no dia 29 de agosto de 2016, foram ricas em diagnósticos contraditórios sobre a crise econômica.

Em resposta ao senador Cidinho Santos (PR-MT), que a acusou de ter interrompido obras do Minha Casa Minha Vida em Mato Grosso em 2015, Dilma Rousseff esclareceu em seu depoimento que, mesmo com o ajuste, iniciou a terceira fase do programa, ampliando a linha de financiamento voltada para entidades. "Quem interrompeu a faixa 1 do programa, que é voltada para os mais pobres, foi o governo interino." Conforme destacado por Dilma, o governo Temer tinha elevado o teto de financiamento de imóveis na linha que ela apelidou de "Minha Casa Minha Mansão". "Ou gastei a mais ou gastei a menos. O que não dá é para ser acusada das duas coisas", acrescentou Dilma.

É difícil conceber, por exemplo, alguma relevância na atribuição de crime de responsabilidade à presidente eleita a um dos gráficos apresentados em plenário pelo senador Ronaldo Caiado (DEM-GO), que mostrou a aceleração da inflação para 10,67% em 2015. Se fosse assim, os efeitos do fim do câmbio fixo em 1999 seriam considerados crime hediondo. Sem falar que, até mesmo no circo do impeachment, atribuir algum papel na explicação da crise ao total de 1,8 bilhão de reais em créditos suplementares que em nada elevaram o total de despesas do governo exigia malabarismos improváveis.

Diante de acusações tão diversas e abrangentes, tivemos de observar também os gráficos da própria presidente Dilma, que, apesar de um mea-culpa mais geral sobre eventuais erros na condução da política econômica em seu discurso inicial, não abriu mão de explicar aos mais novos interessados na economia do país o momento da reversão do superciclo das commodities e da alta do dólar nas economias emergentes.

Não que esses temas não fossem de extrema importância. O país certamente se beneficiaria do maior engajamento e da pluralidade de visões de membros do Executivo e do Legislativo na promoção de debates amplos sobre as causas e soluções para a crise. O que vimos, no entanto, foi a economia sendo utilizada livremente para diluir o casuísmo jurídico que envolveu o processo de derrubada de Dilma.

São duas as peças que formaram o bloco responsável pelo caos que se seguiu. De um lado, boa parte do sistema político tinha o objetivo de salvar-se da Operação Lava Jato e outras investigações criminais. De outro, boa parte da elite econômica do país desejava salvar-se dos custos de uma das maiores crises econômicas da história recente, impondo-os sobre o restante da sociedade.

Michel Temer assume o governo com a condição de manter o bloco coeso, comprometendo-se tanto com a aprovação de reformas estruturais e a não elevação de impostos, quanto com o estancamento da sangria[10] causada pelas investigações. Poucos meses depois, a crise econômica agravada e os sucessivos escândalos de corrupção envolvendo ministros e lideranças parlamentares eliminaram qualquer possibilidade de o bloco contar com o respaldo da sociedade.

Na tentativa de salvá-lo da desintegração completa, o governo ainda tentou evitar a perda de apoio das elites econômicas garantindo-lhes a aprovação da Proposta de Emenda à Constituição (PEC) do teto de gastos públicos, de uma reforma da Previdência draconiana, de uma reforma trabalhista e de um conjunto de medidas de transferência de renda para o setor empresarial.

Mas os sócios do poder insistiam em não perceber que os dois pilares de sustentação do governo Temer estavam condenados a desmoronar, já que aprofundavam o abismo entre o sistema político e a sociedade brasileira. A opinião pública se

10 http://www1.folha.uol.com.br/poder/2016/05/1774018-em-dialogos-gravados-juca-fala-em-pacto-para-deter-avanco-da-lava-jato.shtml

colocava tanto contra o salvamento dos políticos, quanto contra a aprovação de reformas antidemocráticas.

A solução dos problemas econômicos do país parecia ser a única saída para um governo cada dia mais exposto aos escândalos de corrupção.

A hipocrisia fiscal

Ainda interino na presidência da República, após a votação no Senado, Michel Temer nomeou para o Ministério da Fazenda o ex-presidente do Banco Central na era Lula e ex-presidente internacional do Bank Boston Henrique Meirelles. A nova equipe da Fazenda e do Banco Central, que passou a ser presidido por Ilan Goldfajn, ex-economista-chefe do Itaú, passa a ficar conhecida como o *dream team* da economia.

Em maio, o ministro do Planejamento do governo interino Romero Jucá foi gravado em conversas com o ex-presidente da Transpetro Sérgio Machado sobre um suposto acordo nacional para derrubar Dilma e obstruir investigações da Operação Lava Jato. Ao comunicar o afastamento de Jucá do ministério, Michel Temer registrou "o trabalho competente e a dedicação do ministro Jucá no correto diagnóstico de nossa crise financeira e na excepcional formulação de medidas [...] para a correção do deficit fiscal e a retomada do crescimento da economia".

As revelações deixam claro que não só de técnicos notáveis era feita a equipe econômica. Temer esclarece, aliás, que Romero Jucá continuaria dando as cartas desde o Senado.

Na realidade, a redução da meta fiscal para um deficit de 170,5 bilhões de reais em 2016 apresentada por Jucá diferia da proposta de 96,7 bilhões do ministro Nelson Barbosa ao prever menor contingenciamento de despesas e nenhuma nova fonte de receitas. A política econômica começava, assim, a acertar as contas do impeachment. No que poderia ser classificado como um caso de expansionismo fiscal fisiológico, o aumento da previsão de deficit já aprovado no Congresso, em vez de abrir mais espaço para os investimentos e a criação de empregos, garantia recursos para os apoiadores do impeachment nos poderes Executivo e Legislativo.

Em declaração ao jornal *O Estado de S. Paulo* de 9 de julho de 2016, o ministro Henrique Meirelles afirmou que, para equilibrar as contas públicas, "o plano A é o controle de despesas, o B é privatização e o C, aumento de imposto".

Algum demagogo de plantão, habituado a seduzir eleitores incautos pela explicação do Orçamento da União a partir da dinâmica do orçamento doméstico, poderia aproveitar-se facilmente do roteiro proposto pelo ministro para desfazer qualquer esperança da população quanto a dias melhores na economia. Afinal, poucos estariam felizes em fazer parte de uma família para a qual, diante da crise, a primeira opção fosse cortar a escola das crianças, diminuir as idas ao pediatra ou eliminar os remédios dos avós. Menos ainda se o plano B fosse vender a geladeira e o sofá. E tudo isso para não ter de pedir ao primogênito que abra mão do carro novo e contribua um pouco mais com as despesas da casa.

O cálculo do governo interino naquele momento era de que o deficit de 170 bilhões de reais de 2016 cresceria em 2017 para 194,4 bilhões. Só uma expectativa de receitas adicionais por meio de eventuais privatizações e concessões de 55,4 bilhões permitiria que o governo fixasse a meta fiscal nos 139 bilhões anunciados. O que não foi dito é que receitas da mesma ordem poderiam ser obtidas, por exemplo, com a retomada da tributação sobre os lucros distribuídos a pessoas físicas (dividendos), que desde 1996 são isentos de IRPF, ao contrário do que ocorre na maioria dos países.

Além de deixar claro que o governo interino não tinha o conjunto da sociedade como alvo de suas prioridades, a estratégia proposta não oferecia nenhuma perspectiva de reequilíbrio das contas públicas no médio ou no longo prazo. Afinal, as receitas geradas com a venda de ativos públicos por meio de privatizações vêm apenas uma vez, além de implicarem redução de receitas futuras do governo com esses ativos (o governo perde, por exemplo, a parcela que lhe cabe dos lucros das empresas estatais).

As diferenças entre as finanças de uma família e as do governo federal são muitas. Primeiro, os gastos públicos geradores de emprego e renda afetam toda a dinâmica do sistema econômico, contribuindo para aumentar a arrecadação de impostos. Os resultados das políticas de austeridade em diversos países da periferia europeia podem servir de exemplo: ao agravar a recessão e a frustração de receitas do governo, os cortes no Orçamento acabaram ampliando o deficit fiscal inicial.

As condições em que famílias e governo federal financiam uma eventual diferença entre gastos e arrecadação tampouco são as mesmas. A maior parte das famílias brasileiras tem pouco acesso a crédito. Já o governo federal, apesar dos juros altos para padrões internacionais – mesmo se levados em conta o patamar de nossa dívida e nossa taxa de inflação –, não encontrou nenhuma dificuldade em vender seus títulos públicos no mercado desde o início da crise.

Além disso, ao contrário das famílias, os governos têm a capacidade de elevar seus impostos e aumentar sua própria base de arrecadação. Se taxasse sobretudo aqueles que consomem uma parcela relativamente pequena de sua renda (os mais ricos) e ampliasse a renda dos que consomem relativamente mais (os mais pobres), o governo poderia dar um estímulo à economia sem desequilibrar o Orçamento.

Soma-se a isso o fato de que, no Brasil, os que estão no topo da distribuição de renda pagam impostos baixíssimos para padrões internacionais e os que estão na base consomem essencialmente tudo aquilo que ganham.

Por fim, assim como as dívidas assumidas por uma família para comprar uma casa ou para educar os filhos, os investimentos públicos também podem trazer retorno no longo prazo. Como vimos, os gastos com a melhoria da infraestrutura do país, por exemplo, não apenas geram empregos no curto prazo, mas também elevam a produtividade e a competitividade das empresas no futuro.

No entanto, as escolhas de um governo preocupado apenas em manter-se no poder conspiravam contra alternativas sustentáveis de enfrentamento da crise.

"Essa foi a situação encontrada pelo governo", afirmava a dispendiosa campanha publicitária veiculada nos principais jornais do país em outubro de 2016. O anúncio enumerava despesas federais não pagas; transferências atrasadas a estados, municípios e organismos internacionais; obras públicas inacabadas por falta de recursos e até prejuízos de empresas estatais para justificar o deficit fiscal maior.

"Vamos tirar o Brasil do vermelho para voltar a crescer", convocava a frase-título que mandava o país de volta aos tempos da Guerra Fria. Mais fácil que pescar o trocadilho era perceber que as propostas que o governo colocava na mesa estavam na origem do desastre e não levariam à retomada do crescimento. Menos ainda ao saneamento das contas públicas.

Afinal, a receita defendida e adotada desde 2015 para tirar o país de um quadro fiscal deteriorado pela crise econômica – e a consequente queda de arrecadação tributária – tinha causado boa parte dos problemas elencados. A aprovação de um deficit maior poderia até servir para quitar pagamentos atrasados, que eram em grande medida o resultado do contingenciamento recorde de 2015. Mas os publicitários do governo queriam vender a ideia de que fariam um ajuste fiscal ainda mais rigoroso.

As contradições eram muitas. Primeiro, se o corte de gastos fosse ainda mais drástico do que o realizado pelo governo Dilma no ano anterior, as obras mencionadas como inacabadas jamais seriam concluídas. Segundo, não havia ajuste fiscal possível sem o crescimento das receitas do governo, o que, por sua vez, dependia da própria retomada do crescimento econômico. Terceiro, obras inacabadas só existem quando há obras iniciadas, o que passava longe dos planos do governo Temer para o futuro.

O Brasil fechou o ano de 2016 com um deficit primário de 2,47% do PIB (contra 1,88% em 2015) – o pior resultado desde que começou a atual medição, há quinze anos. Em termos absolutos, o deficit de 155,791 bilhões de reais ainda ficou abaixo da meta estabelecida pelo governo, de 163,942 bilhões de reais, graças ao aporte extraordinário de uma operação de repatriação de recursos no exterior.

As estimativas de resultado primário estrutural de Orair e Gobetti sugerem que, retirados os efeitos do ciclo econômico sobre a arrecadação, houve expansão fiscal em 2016, ao contrário de 2015. No entanto, o crescimento dos investimentos públicos observado em 2016 (de 13,5%), por exemplo, deveu-se sobretudo ao pagamento de um volume substancial de "restos a pagar" referente a obras realizadas anteriormente.

O teto de gastos

Em declaração feita em Nova York em 10 de outubro de 2016, o ministro da Fazenda Henrique Meirelles alertou que se a PEC "do teto de gastos" não fosse aprovada, o Brasil teria de enfrentar alternativas "muito mais sérias e muito piores para o país", como a alta de impostos.

De fato, o que a regra garantia por meio de uma alteração na Constituição é que, independentemente de quanto se arrecadasse no futuro, o debate econômico e o conflito distributivo sobre o orçamento público ficariam restritos por dez ou vinte anos a uma disputa sobre um total já reduzido de despesas primárias, na qual os que detêm maior poder econômico e político saem vencedores.

Os dados apresentados no capítulo 2 mostraram que a deterioração fiscal verificada no Brasil nada tinha a ver com um crescimento mais acelerado das despesas primárias federais. Tais despesas – que graças à PEC cresceriam apenas com a inflação do ano anterior – expandiram-se menos entre 2011 e 2014 do que nos governos anteriores. Em 2015, caíram quase 3% em termos reais. O problema é que, como vimos, as receitas também cresceram menos.

O pagamento de juros, por sua vez, era responsável pela maior parte do aumento da dívida pública. Embora o argumento comumente propagado fosse de que tais despesas apenas refletiam um equilíbrio de mercado, o fato é que as sucessivas elevações da taxa básica em 2015 pelo Banco Central encareceram – no mínimo – a alta parcela dos juros paga sobre os títulos indexados à própria taxa Selic.

Nesse contexto, a PEC do teto não era a panaceia anunciada no que tange à estabilização da dívida pública – ou ao controle de uma inflação já em queda – nem poderia prejudicar sua dinâmica, ao tirar da mesa de discussão os três itens que mais explicavam o quadro de deterioração fiscal: a falta de crescimento econômico, a queda de arrecadação tributária e o pagamento de juros.

Pior: ao contrário dos magistrados, que pareciam ter força suficiente para conquistar reajustes em meio aos conflitos acirrados, despesas com educação por aluno, saúde por idoso, ciência e tecnologia, cultura, assistência social e investimentos públicos sofreriam queda vertiginosa.

No Brasil, a vinculação de recursos tributários para a educação pública teve origem na Constituição de 1934 e tem como fundamento a ideia de que, para garantir direitos aos cidadãos, é necessário atribuir deveres ao poder público. O artigo 112 da Constituição de 1988 definia que a União nunca aplicaria menos de 18% da arrecadação de impostos na "manutenção e desenvolvimento do ensino". Em 2000, o mesmo princípio foi estendido para as despesas com saúde, que inicialmente acompanhavam o crescimento do PIB e, a partir de 2016, passaram a estar associadas à evolução da arrecadação total.

A exposição de motivos da PEC 241/55 não esconde o jogo: "É essencial alterarmos a regra de fixação do gasto mínimo em algumas áreas. Isso porque a Constituição estabelece que as despesas com saúde e educação devem ter um piso, fixado como proporção da receita fiscal".

Em um governo transparente, a PEC do "teto de gastos" deveria chamar-se PEC da "desvinculação de recursos". Sob a alegação de que despesas obrigatórias engessavam o Orçamento, a emenda alterou o mínimo destinado a essas áreas para o valor vigente quando da implementação da regra, a ser ajustado apenas pela inflação do ano anterior. Naquele contexto, a União gastava com saúde e educação mais do que o mínimo constitucional. Se, no ano seguinte, a União se ativesse a esse mínimo, tal valor real passaria a funcionar como piso constitucional, mesmo em caso de expansão da arrecadação.

O governo alegava tratar-se de um mínimo, e não de um teto, de modo que não haveria necessariamente um congelamento real dos recursos destinados a essas áreas. No entanto, dada a previsão de crescimento dos gastos com benefícios previdenciários, o teto global para as despesas de cada Poder tornaria inviável a aplicação de um volume maior de recursos nas áreas de saúde e educação públicas.

Na prática, a PEC significou o abandono do princípio básico que norteou essas vinculações desde 1934, qual seja, de que enquanto não chegarmos aos níveis adequados de qualidade na provisão de educação e saúde públicas, eventuais aumentos na receita com impostos devem ter uma parcela mínima destinada à provisão desses serviços.

Embora haja sempre alguma margem para aumento na qualidade dos serviços pela maior eficiência – sem elevação de despesas –, a evidência é de que houve melhora nos indicadores de resultado de ambas as áreas com a destinação maior de recursos na última década. Ainda assim, os gastos em educação e saúde per capita no Brasil se mantêm em níveis muito abaixo da média dos países da OCDE. Com o crescimento populacional nas próximas décadas, o congelamento, se mantido, implicará uma queda vertiginosa nesses indicadores. O envelhecimento da população, em particular, reduzirá muito as despesas com saúde por idoso, com consequências dramáticas sobre os mais vulneráveis. A proposta disfarçava, portanto, a desistência de levar o Brasil, um país com imensa desigualdade social, aos níveis de qualidade de ensino e atendimento em saúde públicos das economias mais avançadas.

Já a reforma tributária, o fim das desonerações fiscais, o combate à sonegação de impostos e a abertura de espaço fiscal para a realização de investimentos em infraestrutura não apareciam nos planos de Meirelles. A PEC 241/55 não era um plano de ajuste e, muito menos, uma agenda de crescimento. Tratava-se de um projeto de longo prazo de desmonte do Estado de bem-estar social brasileiro.

O Senado aprovou a PEC do teto no dia 13 de dezembro de 2016 com 53 votos a favor, quatro a mais do que o mínimo necessário para mudar a Constituição. Desde então, o teto de gastos passaria a servir de argumento principal para a aprovação da reforma da Previdência, como já deixava claro um editorial[11] da

11 http://www1.folha.uol.com.br/opiniao/2016/12/1841191-depois-do-teto.shtml

Folha de S. Paulo de 14 de dezembro de 2016: "As consequências [de não mudar as regras da aposentadoria] seriam dramáticas: ou o governo se veria forçado a reduzir todas as outras despesas a ponto de comprometer ainda mais os serviços públicos ou teria de abandonar o teto." Mas, mesmo aprovando a reforma tal como estava proposta inicialmente, o governo deixaria um problema para os seus sucessores. Isso porque as economias geradas em pouco aliviariam o Orçamento na próxima década.

Enquanto não for revista a PEC do teto, o dilema apresentado como hipotético no editorial será enfrentado por qualquer presidente eleito, independentemente da aprovação ou não da reforma da Previdência. Ou se achatam as outras despesas a ponto de sucatear serviços públicos e a infraestrutura do país, ou se abandona a PEC. Talvez por isso, 60% da população tenha sido contrária à sua aprovação. É sintomático que o próprio presidente Michel Temer tenha declarado[12] em outubro de 2016 que a PEC poderia ser revista em quatro ou cinco anos. Mas, se angariar três quintos dos parlamentares é difícil até para um presidente da República do maior partido no Congresso, abandonar a PEC não será tarefa fácil para quem quer que o suceda.

A doutrina do choque

Em seu primeiro ano, o governo Temer pôde contar com uma grande tolerância com o deficit fiscal elevado e a dívida pública crescente. O livro *A nova razão do mundo*,[13] dos franceses Christian Laval e Pierre Dardot, pode nos ajudar a entender o fenômeno. Segundo os autores, o neoliberalismo não seria

12 http://economia.estadao.com.br/noticias/geral,temer-diz-que-pec-do-teto-pode-ser-revista-em-4-ou-5-anos,10000081943 **13** Dardot e Laval (2016).

uma doutrina econômica, e sim um instrumento de desativação do jogo democrático. Já dizia Margaret Thatcher: "A economia é o método. O objetivo é mudar a alma".

A teoria econômica vem se mostrando bem-sucedida em evitar as consequências de uma radicalização da democracia pela conquista de direitos e cidadania. A solução, sob o véu da técnica, é criar outra forma de sujeição. A liberdade menor é travestida de liberdade maior. Vende-se a ideia de que a falta de liberdade deriva da submissão a um sujeito para o qual a sociedade não deve nada: o Estado. O neoliberalismo é uma doutrina que promete a liberdade de escolha, mas é vendida sempre sob o slogan da falta de alternativas.

E aquele Estado, potencial garantidor das demandas dessa mesma sociedade por mais proteção social, melhores serviços e maior igualdade de tratamento, torna-se um inimigo. Não só no discurso, mas também na prática, pois a tal doutrina econômica encarrega-se de mantê-lo sob o controle das oligarquias.

Friedrich Hayek, em sua visita ao Chile de Pinochet, não hesitou em deixar clara a sua preferência por "uma ditadura liberal, em vez de um governo democrático desprovido de liberalismo". Hayek, aliás, esteve presente – com Ludwig von Mises – na reunião de 1938 em Paris em que se cunhou o termo "neoliberalismo", em uma reação ao que ambos enxergavam como uma ameaça quase tão perigosa quanto o nazismo e o comunismo: o surgimento da social-democracia, aquela do New Deal de Roosevelt e do Estado de bem-estar social britânico.

Mas foi nas crises que a agenda ganhou mais terreno. Afinal, seus teóricos costumam aproveitar-se da distração da população para impor políticas impopulares, como documentou Naomi Klein em seu livro *A doutrina do choque*. Tendo aprendido bem com o golpe chileno, Milton Friedman chega a descrever o furacão Katrina como uma "oportunidade para reformar radicalmente o sistema educacional de Nova Orleans".

A maior parte do sistema de ensino público da cidade foi privatizada em dezenove meses.

A crise econômica brasileira também se mostrou uma oportunidade de ouro para bloquear agendas democráticas crescentes – das mulheres, dos movimentos sociais, das minorias e da juventude – e viabilizar uma agenda ideológica de redução do tamanho do Estado.

No jogo político travado em Brasília e na grande mídia durante o segundo semestre de 2016, as pressões cada vez mais ferozes pela aprovação das reformas que reduziriam estruturalmente o papel do Estado na economia e a provisão de uma – ainda frágil – rede de proteção social deixavam claro que o bloco formado para derrubar a presidente Dilma Rousseff não era tão coerente quanto parecia à primeira vista.

Por um lado, o PMDB – um partido que sempre se alimentou do tamanho do Estado em seu fisiologismo – utilizava-se de um discurso neoliberal de ocasião para conquistar o apoio dos que faziam oposição ao governo Dilma Rousseff. Por outro lado, o Partido da Social Democracia Brasileira (PSDB) e seus simpatizantes, cientes de que jamais ganhariam uma eleição com a agenda de retrocessos que defendiam, conseguiam do PMDB que fizesse o trabalho sujo para o que – calculavam – seria seu governo a partir de 2018.

Diante de pressões crescentes pela aprovação das chamadas reformas estruturais – que chegaram até mesmo às atas do Banco Central –, o governo Temer se esforçava para convencer seus apoiadores de que estava comprometido com o ajuste e com as reformas.

Uma reportagem[14] do jornal *Valor Econômico* de 12 de setembro de 2016 fazia crer que o ministro-chefe da Casa Civil, Eliseu

14 http://www.valor.com.br/brasil/4707405/padilha-nao-nos-demos-conta-que-bondades-nos-levariam-ao-precipicio

Padilha, vinha aprendendo teoria do Estado com os discípulos de Margaret Thatcher: "Padilha defendeu que não existe dinheiro público, já que todos os recursos arrecadados pelo governo vêm do setor privado, por meio de pagamento de impostos".

Nos bastidores do poder, no entanto, o debate econômico parecia se dar ainda entre os que insistiam em afirmar que não havia dinheiro para o que pedia a sociedade e os que achavam que o dinheiro não tinha dono, podendo ser apropriado *ad eternum* pelas velhas oligarquias. Oligarquias que, proporcionalmente à sua renda, são as que menos contribuem para o Orçamento do governo.

Juros e inflação

Após elevar a taxa de juros básica nas cinco primeiras reuniões de 2015, o Banco Central manteve a Selic em 14,25% até outubro de 2016. Em termos reais, ou seja, descontando a inflação realizada, a taxa básica atingiu um mínimo de 2,3% no segundo semestre de 2015 – período de alta inflação (acima de 9% no acumulado em doze meses) –, ficou estável até o fim do ano e passou a subir ao longo de 2016 e início de 2017, com a queda da inflação.

Em outras palavras, mesmo mantendo a taxa de juros nominal, o Banco Central realizou uma política monetária contracionista em 2016, pois elevou os juros reais. Já em 2015, a aceleração da inflação mais do que superou a elevação dos juros nominais, fazendo a taxa real cair.

Em 19 de janeiro de 2016, Alexandre Tombini, que estava à frente do Banco Central, tomou a iniciativa inédita de divulgar uma Nota à Imprensa comentando a mudança nas projeções do FMI sobre o Brasil. O FMI tinha revisado a previsão de crescimento do PIB do Brasil de –1,0% para –3,5%, em 2016, e de 2,3% para 0%, em 2017, atribuindo "a fatores não econômicos as razões para esta rápida e pronunciada deterioração das previsões".

A nota de Tombini considerava essas revisões "significativas" e anunciava que a reunião do Copom, que começava naquele dia, as levaria em consideração. O mercado entendeu o anúncio como uma antecipação da decisão do Copom, que acabou mesmo optando pela manutenção da taxa por seis votos a dois. No dia em que Tombini soltou a nota, as expectativas do mercado atribuíam 75% de probabilidade a uma alta de 0,50 ponto e 23% a uma alta menor, de 0,25 ponto na Selic. Depois dos comentários do presidente do Banco Central, disparou para 77% a chance de a Selic subir 0,25 ponto. Na ocasião, ex-diretores do Banco Central se disseram perplexos com a atitude de Tombini, que também desconcertou os analistas econômicos.[15]

Alguns economistas[16] atribuíram a não elevação da taxa Selic em meio à alta inflação que marcou o segundo semestre de 2015 e o início de 2016 a um cenário de dominância fiscal. De acordo com essa versão, os sucessivos deficits orçamentários do governo estariam forçando o Banco Central a manter a taxa de juros em um patamar abaixo da que controlaria a inflação, para impedir uma explosão da dívida pública.

Apesar de a manutenção da Selic ter elevado um pouco as expectativas inflacionárias, o real tinha iniciado sua tendência de valorização algumas semanas antes daquela reunião e o cenário recessivo continuava freando a expansão dos salários e a inflação de serviços. A decisão se justificava plenamente a partir da utilização dos próprios modelos econômicos do Banco Central. O recurso às projeções de crescimento do FMI na nota publicada por Tombini apenas serviu para desnudar o caráter político de uma decisão que, nesse caso, poderia ter sido técnica.

15 http://economia.estadao.com.br/noticias/geral,ex-diretores-do-bc-se-dizem-perplexos-com-atitude-de-tombini-em-vespera-de-copom,10000007465 16 Ver, por exemplo, entrevista de Monica De Bolle ao jornal *Valor Econômico*, http://www.valor.com.br/brasil/4252122/de-bolle-sob-dominancia-fiscal-brasil-deveria-deixar-regime-de-metas.

Já a atuação do Banco Central no primeiro semestre de 2015 parecia pouco justificada. Diante do reajuste brusco nos preços administrados, elevou sucessivas vezes os juros e prejudicou o controle da dívida pública, sem sequer obter sucesso no controle da inflação.

Quanto à necessidade do aperto monetário em 2016, vale a pena esclarecer que a queda da inflação acumulada em doze meses não se iniciou após Goldfajn assumir o comando do Banco Central: o índice atingiu o auge em janeiro de 2016, quando passou a cair rapidamente.

Os boxes de decomposição da inflação nos Relatórios de Inflação de 2015 e 2016 apresentam estimativas baseadas nos modelos de projeção do Banco Central e permitem mapear os principais fatores determinantes da queda da inflação no período.

Segundo essa metodologia, o reajuste de preços administrados contribuiu para uma variação de 4,1 pontos percentuais do IPCA em 2015. Ou seja, 38,4% da inflação do ano, que foi de 10,67%, deveu-se diretamente ao reajuste em preços estabelecidos por contrato e que independem, portanto, de condições de oferta e demanda. Incluem tarifas de energia elétrica, água, esgoto, transporte e preços de combustíveis. Em 2016, a contribuição do aumento desses preços caiu de 4,1 pontos para 0,64 ponto.

O outro fator que explica boa parte da queda da inflação entre 2015 e 2016 é o "repasse cambial". O dólar também reverteu sua tendência de alta e passou a cair em janeiro de 2016. Como vimos, por afetar diretamente os preços de insumos importados, altas do dólar são repassadas para outros preços da economia. Permitem também que os produtores nacionais reajustem seus preços sem perder competitividade em relação aos estrangeiros.

Em 2015, o efeito do repasse cambial foi de 1,57 ponto percentual, o que respondeu por 14,7% do total da inflação do ano.

Em 2016, esse componente passou a contribuir para uma redução no IPCA de 0,17 ponto percentual.

Já o efeito dos "choques de oferta", que incluem, por exemplo, altas de preços de produtos agrícolas por mudanças nas condições climáticas, foi de 0,86 ponto percentual em 2015 e de 0,67 ponto em 2016. Sobrou pouco, portanto, para fatores que poderiam estar ligados a uma suposta mudança de orientação de política econômica e maior credibilidade do BC.

O componente "expectativas de inflação" contribuiu com 0,73 ponto percentual da inflação em 2015 e 0,69 ponto em 2016, tendo ampliado sua participação no total.

Já o componente inercial, que mede o quanto a inflação do ano deveu-se ao carregamento da inflação do ano anterior (pela indexação de contratos, por exemplo), contribuiu com 0,5 ponto percentual da inflação de 2015 e 1,84 ponto percentual da inflação de 2016. Ou seja, a aceleração da inflação em 2015 respondeu por 29,2% da inflação do ano seguinte: um efeito que certamente se dissiparia sem a necessidade de manter os juros elevados.

Por fim, os demais fatores que afetam preços livres - incluindo condições de demanda, desemprego e salários - contribuíram com 2,91 pontos percentuais para a inflação em 2015 e 2,62 pontos em 2016.

Ou seja, um ano antes do início do ciclo mais forte de redução da taxa de juros nominal - o primeiro corte de 0,75 ponto percentual ocorreu em janeiro de 2017 -, já estava claro que, passado o choque inflacionário causado pelo reajuste dos preços administrados e sem que houvesse um novo choque cambial, a inflação convergiria inevitavelmente para a meta. O efeito desinflacionário da enorme capacidade ociosa da indústria e do desemprego galopante era mencionado nas próprias atas do Copom, que mesmo assim continuou elevando a taxa de juros real.

Na ausência de choques em preços de alimentos, taxa de câmbio, preços administrados ou outros elementos que afetam os custos dos produtores, é de se esperar que, quanto maior o desemprego, menor o crescimento dos salários e menor a taxa de inflação. Essa relação negativa entre desemprego e inflação foi demonstrada pelo economista neozelandês William Phillips em 1958 e por isso é chamada de Curva de Phillips. Inflação mais baixa e taxa de juros em queda são, portanto, sintomas do desemprego alto e da crise econômica profunda vivida pelo país.

Ainda assim, o governo Temer celebrou a redução da taxa de juros e da taxa de inflação como indicadores econômicos que sinalizavam o fim da crise. Essa atribuição do ônus do desemprego ao governo Dilma e do mérito da inflação baixa ao governo Temer deixaria Phillips um tanto constrangido. Além disso, a redução da taxa de juros era uma condição necessária para que o país parasse de cavar o fundo do poço da recessão, mas não era condição suficiente para uma retomada.

Falsos pilares

Na tentativa de atrair investidores estrangeiros para as concessões na área de infraestrutura, o secretário do Programa de Parceria de Investimentos (PPI), Moreira Franco, distribuiu em setembro de 2016, em reunião em Nova York, um documento de propaganda que tratava a "insegurança jurídica, a instabilidade regulatória, a má gestão e a intervenção excessiva do Estado" como águas passadas no Brasil.

Segundo o mesmo documento, o fracasso na atração de fundos para o programa de concessões ao setor privado nos diversos setores de infraestrutura nos últimos anos seria o resultado da "miopia ideológica e do oportunismo político" do governo anterior, do qual Moreira Franco participou ativamente. Parecia pouco razoável, porém, que a instabilidade política e institucional do país, após a derrubada de Dilma Rousseff, combinada à falta de sinais claros de retomada da economia e aos escândalos de corrupção envolvendo membros do governo, avalizasse essa segurança prometida aos investidores.

Em todos os países do mundo, é muito difícil obter diretamente no mercado o financiamento de longo prazo necessário para a realização de obras de infraestrutura. Assim, apesar de ter reduzido o teto de participação do BNDES no total financiado e eliminado o empréstimo-ponte que ocorria antes do início das obras, o programa apresentado por Moreira Franco ainda previa que um total de 30 bilhões de reais seria disponibilizado por bancos públicos para as concessões, dos quais 12 bilhões do FI-FGTS da Caixa. Além disso, BNDES, Banco do Brasil e Caixa assumiriam todo o risco na emissão de debêntures dos potenciais interessados.

No que tange a rodovias, ferrovias, portos e aeroportos leiloados, as mudanças em relação ao PIL, anunciado um ano antes pelo governo Dilma, eram ainda mais marginais. O problema é que, mesmo se o programa fosse bem-sucedido e priorizasse novos investimentos por parte das concessionárias, a maior parte dos leilões estava prevista apenas para meados de 2017. O início das obras seria ainda mais tardio.

Em fevereiro de 2017, o governo anunciou um pacote de medidas que atrairia um total de 371,2 bilhões de reais de investimentos privados nos próximos dez anos. Segundo Marcos Ferrari, do Ministério do Planejamento, a ideia era "destravar investimentos sem que a União gaste um centavo". O pacote chegou a ser chamado por Ferrari de "o quarto pilar para a retomada" do crescimento – os três primeiros sendo a contenção da inflação, o controle de gastos e a reforma da Previdência. Ou seja, a política de cortes de investimentos públicos que contribuía com a escalada do desemprego, o aprofundamento da recessão e a deterioração do quadro fiscal desde 2015 era encarada como motor de retomada.

As medidas consolidavam a aposta do governo em concessões e incentivos diversos ao capital privado como forma de estimular a economia. A estratégia, que já vinha sendo adotada desde o início da desaceleração econômica em 2011, foi acrescida de algumas medidas para atrair mais capital estrangeiro. Em particular, o governo facilitou a venda de terras para estrangeiros e limitou as exigências de conteúdo local na exploração do pré-sal.

No pacote anunciado, as únicas ações que iam no sentido – correto – de estimular componentes autônomos da demanda agregada apenas reforçavam o velho caráter concentrador de renda do Estado brasileiro. Era o caso, por exemplo, dos estímulos ao investimento residencial, via aumento na faixa máxima do Programa Minha Casa Minha Vida para 9 mil reais e autorização do uso do FGTS para compra de imóveis de até 1,5 milhão.

A fadinha da confiança

A queda acumulada do PIB desde o fim de 2014 alcançava 7,2% em níveis absolutos e 9,1% em termos per capita no fim de 2016. O ritmo de contração da economia, que diminuiu entre o segundo trimestre de 2015 e o segundo trimestre de 2016, parece ter acelerado desde o fim do processo de impeachment.

Ao contrário do prometido, a troca de liderança não foi suficiente para o retorno à estabilidade e a retomada dos investimentos. Após o afastamento de Dilma Rousseff da Presidência, a média das expectativas de crescimento do PIB de 2017 reunidas no Boletim Focus havia subido de 0,24% em abril de

2016 para 1,34% em setembro. No início de 2017, já girava em torno de 0,5%, e muitos analistas descartavam qualquer crescimento para o ano. Essa deterioração veio mesmo com a melhoria do cenário externo: o índice de preços de commodities do FMI reverteu sua trajetória de queda e subiu 34,8% entre fevereiro de 2016 e março de 2017.

O desemprego alcançou 12% no fim do ano, tendo subido 3 pontos percentuais desde o fim de 2015. O ano marcou também uma nova queda dos rendimentos reais médios dos trabalhadores ocupados, de 0,5%.

Quase não há registro histórico de uma crise dessa magnitude em um país com tamanho, instituições e renda per capita minimamente comparáveis aos nossos. Sobretudo fora de um contexto de crise financeira. Em 2015, só a Rússia, entre os 46 que constam da base de dados da OCDE, também passou por uma recessão. Ainda assim, mesmo sofrendo sanções econômicas de Estados Unidos, União Europeia, Japão e Canadá pelo conflito na Ucrânia, a queda acumulada foi de cerca de 4% no biênio 2015-6.

No Brasil, nem a crise da dívida da década de 1980 nem o confisco da poupança em meio à hiperinflação tiveram efeitos recessivos tão profundos ou duradouros. A economia mexicana caiu menos de 4% quando declarou a moratória da dívida em 1982. Atribuir todo o colapso a uma irresponsabilidade com as contas públicas ou ao descontrole de preços parece pouco plausível.

Em manchete[17] quase lacaniana, o jornal *Valor Econômico* alertou no dia 14 de novembro de 2016 que "sem endosso da realidade, (a) economia se descola da expectativa". A reportagem destacava o completo descolamento, desde outubro

17 http://www.valor.com.br/brasil/4775327/sem-endosso-da-realidade-economia-se-descola-da-expectativa

de 2015, dos índices de confiança construídos a partir das expectativas futuras dos agentes – consumidores e empresários – daqueles que se baseiam na situação atual da economia. Esqueceu-se de notar, no entanto, que mesmo os índices de confiança baseados na situação atual estavam completamente descolados da própria realidade econômica do país, que se agravava a cada dia.

Em 2011, Paul Krugman criou um personagem místico – hoje mundialmente conhecido – para ironizar a defesa do corte de gastos públicos como solução para a crise econômica. Segundo Krugman, alguns governos pareciam acreditar que, se cortassem seus gastos, e só por isso, uma fadinha da confiança apareceria para recompensá-los com investimentos e gastos do setor privado, estimulando a economia.

Em debate com Krugman em março de 2015, Robert Skidelsky, professor emérito da Universidade de Warwick e biógrafo de John Maynard Keynes, defendeu a ideia de que a retórica da austeridade, por mais equivocada que fosse, poderia deteriorar as expectativas dos agentes o suficiente para tornar fracassada uma política de estímulo fiscal em meio à crise. Em outras palavras, o discurso em prol do ajuste fiscal poderia fazer com que a política correta de expansão de investimentos públicos como forma de saída da crise perdesse sua capacidade de estímulo, pois levaria à perda de confiança dos investidores. Krugman, no entanto, insistiu que a mera retórica e seu efeito sobre as expectativas não seriam suficientes para alterar o resultado de políticas, fossem elas equivocadas ou acertadas. Um mês depois, Skidelsky daria razão ao colega em artigo publicado pelo jornal *The Guardian*:[18]

18 https://www.theguardian.com/business/2015/apr/22/economic-myths-and-tall-tales-the-confidence-fairy-and-bond-vigilante

> O fator confiança afeta o processo decisório do governo, mas não afeta o resultado de suas decisões. A não ser em casos extremos, a confiança não pode fazer com que uma má política obtenha bons resultados, e sua ausência não pode fazer com que uma boa política obtenha maus resultados, não mais do que pular de uma janela, com a crença equivocada de que seres humanos podem voar, eliminaria o efeito da gravidade.

No Brasil, o misticismo ainda estava em alta mesmo com o fracasso retumbante do corte de gastos e investimentos públicos desde 2015, como forma de estímulo aos investimentos privados ou de estabilização da dívida pública. Sem qualquer preocupação em transformar uma convicção ideológica em predição científica passível de refutação, respondia-se sempre que, se não se viam sinais de retomada, é porque a política não tinha sido realizada com vigor suficiente.

Diante do descolamento entre a confiança dos agentes e a economia real, optou-se por considerar que fatores inesperados fizeram com que a economia se descolasse das expectativas, ao invés de admitir que as expectativas estavam contaminadas pela retórica política, e que, sendo esse o caso, a economia não necessariamente iria obedecê-las.

Mas o ajuste fiscal tampouco explica o tamanho do buraco em que nos metemos. As repercussões da Operação Lava Jato, as aberrações do nosso sistema político e o troca-troca de ministros pelos piores motivos, por exemplo, têm de ser levados em conta. O governo Temer não parece ter vindo para assegurar a estabilidade política, superar o caos institucional ou colocar o "país nos trilhos".

No dia 29 de março de 2017, o governo anunciou que teria de fazer um contingenciamento de despesas para o cumprimento da meta fiscal do ano. O total contingenciado seria de 42,1 bilhões de reais, sendo 10,5 bilhões nos investimentos públicos.

A necessidade de contingenciar recursos – limitar o empenho e a movimentação financeira com rubricas previamente aprovadas no Orçamento – pouco surpreendeu os analistas. Só mesmo os que caíram na estratégia de marketing do próprio governo ainda esperavam que se concretizassem as expectativas otimistas para o crescimento da economia e para a arrecadação federal que nortearam a aprovação do Orçamento de 2017. Era evidente também que o governo estava refém de uma base de apoio ao impeachment que interditava um ajuste mais equilibrado, com elevação de impostos para os que pouco pagam.

Do valor total do bloqueio de 58,2 bilhões anunciado, só 16,1 bilhões referiam-se a um aumento da arrecadação. Desses, no entanto, 10,1 bilhões viriam de receitas extraordinárias oriundas da concessão de hidrelétricas. Ou seja, a parte do ajuste que se daria pela via tributária resumia-se a 6 bilhões, dos quais 4,8 bilhões referiam-se à eliminação da desoneração da folha de pagamentos para alguns setores e 1,2 bilhão à cobrança de IOF sobre cooperativas de crédito.

O valor total do contingenciamento era muito próximo, por exemplo, do total de recursos liberados pela autorização de saque de contas inativas do FGTS pelo governo, que foi de 43,6 bilhões. A estimativa era que a maior parte desses saques fosse utilizada para pagar dívidas e que apenas um valor entre 12 e 16 bilhões fosse de fato injetado na economia via consumo das famílias. O contingenciamento anunciado tinha, portanto, um efeito contracionista de magnitude maior do que esse estímulo.

A inflação mais baixa, o início da trajetória de queda da taxa de juros básica e a aprovação da PEC do teto de gastos ainda eram vendidos pelo governo como sinais de sucesso.

Para os mais de 12 milhões de desempregados país afora, a taxa de inflação mais baixa não chegava a ser motivo para jogar confetes. Afinal, salários e preços já vinham crescendo menos. Os ganhos de poder de compra daqueles que ainda tinham renda crescente, por sua vez, dificilmente compensavam, do ponto de vista do impacto no consumo, a falta de renda dos que perderam seus empregos.

Quanto aos juros básicos em queda, ainda sem repercussão sobre as taxas de juros reais cobradas pelos bancos, tampouco eram suficientes para estimular o consumo e os investimentos.

Finalmente, sem ter contribuído em nada para resolver os problemas fiscais no curto prazo, que eram fruto de uma queda brutal na arrecadação, a PEC 55/241 apresentou-se mais como um obstáculo do que como uma saída para a crise econômica. Isso porque até mesmo aumentos de impostos, que serviriam para cobrir parte do rombo fiscal do ano, não poderiam ser utilizados para estimular a economia.

Nesse contexto, o engajamento na reforma da Previdência – cuja popularidade era baixa até mesmo entre os parlamentares da base aliada –, o agravamento da crise nos estados e a perda de apoio de parte do empresariado em razão da falta de perspectivas de retomada do crescimento tornavam o horizonte nebuloso até 2018.

Depois que as gravações de suas conversas com Joesley Batista no âmbito das delações da JBS inauguraram a maior crise de seu governo, o presidente Temer defendeu sua permanência no poder com o argumento da melhora da economia, desconsiderando os resultados desastrosos nessa área.

Um mês depois dos escândalos envolvendo a JBS, que levaram à denúncia de Temer pela Procuradoria-Geral da República por crimes de corrupção passiva e obstrução de justiça, uma manchete do jornal *Valor Econômico* revelava que o "custo de apoio" ao presidente tinha subido muito nas últimas semanas.

Os dados do Siafi – o sistema de gastos orçamentários do governo federal – analisados pela agência Reuters indicavam que o total de recursos liberados em 2017 para emendas parlamentares e restos a pagar passou de 959 milhões de reais para 1,5 bilhão só naquele mês. Ou seja, apenas no mês de junho essa rubrica, que, como se sabe, engloba uma moeda universalmente aceita no mercado de compra de apoio no Congresso, teria somado 529 milhões – quase o valor liberado no acumulado do ano até a divulgação das delações da JBS.

No debate que antecedeu a aprovação da PEC 241/55, muito se falou sobre supostos ganhos de eficiência na alocação dos recursos públicos. Segundo os defensores da medida, ao deparar com um limite rígido de despesas, o governo seria obrigado a gastar com o que realmente importava. Mas na feira do apoio parlamentar de 2017, garantiu-se primeiro o Orçamento para a rejeição à denúncia e depois para a aprovação das reformas. Enquanto isso, o reajuste do Bolsa Família foi suspenso por falta de dinheiro e a volta da emissão de passaportes – interrompida pela Polícia Federal – exigiu a retirada de recursos de outras áreas. Afinal, a arrecadação maior em taxas de emissão não importava em nada para o cumprimento do teto de despesas.

Achar que bastaria impor um teto rígido de despesas para livrar-nos do fisiologismo era muita ingenuidade. Em meio às exigências de austeridade, a conquista de apoio parlamentar – a única tecnologia de governo dominada pelo grupo de Temer – consumia boa parte do Orçamento.

Infelizmente, cada novo escândalo fez com que se gastasse mais para manter coesa a base aliada e, consequentemente, com que sobrassem menos recursos ainda para as áreas prioritárias. A permanência de Temer na Presidência não era apenas vergonhosa, custava caro para a população.

Ainda assim, em 26 de junho de 2017, o presidente da Fiesp, Paulo Skaf, declarou que não cabia à Fiesp "falar sobre renúncia de presidente da República". "Cabe à Fiesp discutir economia, não política", explicou. Quando indagado sobre por que, então, a Fiesp tinha declarado apoio formal ao impeachment de Dilma Rousseff em 2016, Skaf atribuiu a mudança de posição da federação à suposta melhora no cenário econômico: enquanto Dilma teria jogado o país na recessão, Temer teria controlado a inflação, reduzido juros e estaria aprovando as reformas estruturais. "Não há como comparar uma situação com a outra", justificou.

Fica difícil identificar o que há de mais contraditório nessas declarações. Mesmo se fosse verdadeira a assertiva de que a situação econômica do país melhorou significativamente após a entrada de Temer, Skaf deixa a nu que eventuais crimes cometidos por um ou por outro pouco importam. Seria legítimo derrubar um presidente apenas porque a economia vai mal ou manter no poder um presidente criminoso apenas porque a economia vai bem. Não era, portanto, a política que passava longe das preocupações da Fiesp, e sim a democracia e as leis do país.

Mas as contradições não pararam por aí. O apoio a quase todas as políticas equivocadas que marcaram os últimos seis anos – das desonerações ao represamento de tarifas e ao ajuste fiscal pela via do corte de gastos – não bastava à Fiesp. No dia 20 de julho de 2017, o governo anunciou, junto com um bloqueio adicional de 5,9 bilhões de reais em gastos no Orçamento federal, um aumento da tributação sobre os combustíveis. A Fiesp, é claro, não decepcionou: inflou o pato e colocou-o de volta em frente à sua sede na avenida Paulista.

Em agosto, no que pode ser interpretado como mais um passo rumo ao abandono definitivo de um dos pilares do chamado tripé macroeconômico instituído no país em 1999, o governo anunciou uma revisão das metas fiscais dos próximos quatro anos, adiando para 2021 qualquer previsão de superavit primário. Os deficits previstos passaram de 139 bilhões, 129 bilhões e 65 bilhões em 2017, 2018 e 2019, respectivamente, para 159 bilhões nos próximos dois anos e 139 bilhões em 2019.

Assim, em 2020, ao invés do superavit de 10 bilhões de reais, o governo passou a prever um deficit de 65 bilhões. Se o plano for cumprido – o que é difícil de acreditar para quem assistiu a quatro pedidos de redução da meta desde o início do ajuste fiscal –, viveremos um total de sete anos de deficits primários no Brasil.

Tais perspectivas surpreendem menos pelo resultado em si, que nos aproxima de um grande número de países que vêm praticando deficits primários anualmente, e mais pela tranquilidade com que foram recebidas em um país que costumava se orgulhar de seus vultosos superavits primários de 3% do PIB.

Subitamente conscientes de que o governo não é capaz de controlar o total que arrecada – uma das principais críticas feitas ao regime fiscal brasileiro desde sua implementação –, muitos analistas passaram a atribuir ao superavit primário um caráter apenas residual. A única meta efetiva passou a ser o teto de gastos.

O que é curioso nessa abordagem é que ela parece deixar claro que a preocupação principal não era mesmo com a dinâmica da dívida pública. Afinal, sua estabilidade em relação ao PIB depende da obtenção de superavits primários e/ou da queda da taxa de juros que incide sobre a dívida e da retomada do crescimento. Pouco importa, do ponto de vista do controle da dívida, se tais superavits são obtidos pelo aumento de impostos sobre os mais ricos ou pelo corte de serviços públicos, por exemplo. Mas o caminho tomado passou a ser não apenas o de evitar a qualquer preço o aumento de impostos como forma de ajuste, mas também o de abandonar o próprio controle da dívida pública como objetivo primordial da política macroeconômica.

O problema é que esse abandono não se deu em nome de uma expansão de investimentos em infraestrutura ou educação, que traria retorno de longo prazo para o país. Tampouco se deu para a adoção de um regime fiscal mais alinhado com o de outros países. O que presenciamos foi o abandono das metas de superavit primário em nome da redução do tamanho do Estado, que passou a ser um fim em si mesmo.

No relatório intitulado "Um ajuste justo: análise da eficiência e equidade do gasto público no Brasil", publicado em novembro de 2017, o Banco Mundial realizou um diagnóstico do que sua equipe técnica considera os principais desafios fiscais brasileiros e destacou:

> A princípio, a redução dos gastos não é a única estratégia para restaurar o equilíbrio fiscal, mas é uma condição necessária. [...] Certamente, há escopo para aumentar a tributação dos grupos de alta renda (por exemplo, por meio de impostos sobre a renda, patrimônio ou ganhos de capital) e reduzir a dependência dos tributos indiretos, que sobrecarregam os mais pobres. [...] Tais medidas não são discutidas em detalhe neste relatório, mas deveriam fazer parte da estratégia de ajuste fiscal.

Em outras palavras, apesar de admitir que há outros caminhos possíveis para o "ajuste justo", o estudo não se desviou do que já vem dominando o debate econômico desde 2015: o corte de despesas com serviços públicos e benefícios sociais. Para justificar a exclusão dos outros caminhos possíveis, o texto afirma que, em relação a outros países latino-americanos, o Brasil possui uma alta carga tributária e grandes gastos sociais.

> O rápido crescimento das receitas durante os anos 2000 camuflou um aumento igualmente rápido das despesas, impulsionado por fatores estruturais [...]. Embora a receita decrescente e as altas taxas de juros entre 2014 e 2016 tenham influenciado esse resultado, o rápido crescimento das despesas primárias foi o motivador estrutural da deterioração fiscal.

Ou seja, o ajuste fiscal teria de se dar pela via do corte de gastos sociais por duas razões. Primeiro, porque o nível atual desses gastos seria alto se comparado ao de outros países da América Latina. Além de ignorar o tamanho de nossa população, tal constatação sugere que a sociedade brasileira não tem a possibilidade de realizar uma escolha democrática por uma rede de serviços públicos e de proteção social mais em linha com a de países ricos e de cobrar mais impostos no topo da pirâmide, por exemplo.

Segundo, porque o crescimento mais acelerado das receitas nos anos 2000 teria apenas camuflado o crescimento estrutural das despesas. A desaceleração teria trazido à tona a realidade: as receitas estariam condenadas a crescer menos que as despesas. Em outras palavras, os anos 2000 seriam a exceção, a estagnação da economia brasileira é que seria a regra.

Como vimos, é verdade que os anos 2000 foram marcados por um boom de commodities que beneficiou a arrecadação do governo e que as despesas com benefícios sociais cresceram acima do PIB ao longo das últimas décadas. Mas o que pode condenar a economia brasileira a reproduzir o desempenho pífio das receitas que teve entre 2011 e 2016 é, em parte, a própria austeridade.

Afinal, o próprio Banco Mundial prevê que, para o cumprimento do teto de gastos, seria necessário reduzir o Orçamento do governo federal em 25% na próxima década. Mesmo com a aprovação da reforma da Previdência, os cortes ficariam muito aquém desse patamar.

Ainda que tenha contado com a ajuda de fatores temporários, como a supersafra de soja e a liberação para o saque de contas inativas do FGTS, os números do PIB dos primeiros trimestres de 2017 mostraram que a economia do país parou de piorar. O fundo do poço chegou cerca de um ano depois do previsto, mas chegou.

Após oito trimestres consecutivos de queda, o crescimento de 1% do PIB no primeiro trimestre foi suficiente para lançar o presidente Temer em uma incursão ao país das maravilhas. "Acabou a recessão! Isso é resultado das medidas que estamos tomando. O Brasil voltou a crescer. E com as reformas vai crescer mais ainda", celebrou Temer nas redes sociais.

A pílula de sobriedade foi ministrada pelo *Financial Times*: "Brasil rasteja da recessão após supersafra de soja", foi o comentário do jornal[19] aos mesmos dados. E o crescimento de 13,4% no setor agropecuário, que explica o resultado agregado positivo do trimestre, dificilmente poderia ser atribuído a medidas tomadas pelo governo.

Embora o governo tenha seguido à risca o programa econômico desejado pela maior parte dos analistas, a economia real tratou de mostrar que funciona de forma diferente.

"Há um ano, todos imaginavam que a economia brasileira poderia voltar a crescer a partir do aumento de confiança, que geraria investimentos, renda e consumo", admitiu o presidente do Banco Central, Ilan Goldfajn, em entrevista publicada no jornal *Folha de S. Paulo* no dia 26 de agosto de 2017.[20] "Essa ordem está um pouco diferente", percebeu Goldfajn. "Para bater no

19 https://www.ft.com/content/e6af3bc0-46c5-11e7-8519-9f94ee97d996
20 http://www1.folha.uol.com.br/mercado/2017/08/1913221-consumo-puxa-recuperacao-lenta-da-economia-diz-presidente-do-bc.shtml

investimento, a confiança tem que passar o obstáculo da capacidade ociosa, que ainda é muito grande", completou o presidente do Banco Central em diagnóstico plenamente compatível com a visão da crise apresentada neste livro.

A declaração de Goldfajn veio alguns dias antes da divulgação dos números do PIB, que apontaram no segundo trimestre de 2017 o primeiro crescimento no consumo das famílias após oito trimestres de queda e um de variação nula. Muitos analistas atribuíram a expansão de 1,4% no consumo entre abril e junho à política de liberação das contas inativas do FGTS. O item foi o responsável pelo modesto crescimento de 0,2% do PIB no segundo trimestre.

O crescimento no terceiro trimestre foi de apenas 0,1%, mas pela primeira vez desde o início da crise houve aumento de 1,6% dos investimentos. A reação modesta da compra de máquinas e equipamentos é efeito, em boa parte, da própria expansão do consumo das famílias desde março. Além dos saques das contas inativas do FGTS, esse componente também contou com a ajuda da liberação de 16 bilhões de reais de contas antigas do PIS/Pasep concedida pelo governo para aposentados a partir de setembro.

A revisão dos números do PIB em dezembro de 2017 indicou que a recessão de 2015-6 não foi a mais profunda da série histórica. De acordo com os números revistos, a economia encolheu 8,2% na crise de 2015-6, ante queda de 8,5% do PIB na de 1981-3. Os dados anteriores apontavam contração de 8,6% na crise mais recente.

A diferença de quatro décimos é pequena, mas suficiente para interditar nas análises econômicas a expressão "a maior crise da nossa história". O problema é que mesmo que não tenha sido a mais profunda, a crise dos últimos anos foi longa e, o que é pior, parece estar sendo sucedida pela mais lenta das recuperações. Tomemos como parâmetro as três maiores crises medidas pelo

Comitê de Datação de Ciclos Econômicos (Codace). A primeira – esta sim, a maior de nossa história – teve início no primeiro trimestre de 1981 e durou nove trimestres, com o vale (que também é conhecido por fundo do poço) tendo sido atingido no primeiro trimestre de 1983. Dali em diante, a economia levou sete trimestres para retornar ao PIB pré-crise, que só foi superado no fim de 1984.

A segunda entre nossas maiores recessões foi a que vigorou entre o terceiro trimestre de 1989 e o primeiro trimestre de 1992. A queda nesse caso foi mais longa, durou onze trimestres, mas sua magnitude foi um pouco menor – 7,7% no acumulado. Ainda assim, a velocidade de recuperação foi a mesma que na crise anterior: no fim de 1993, após sete trimestres, a economia atingiu seu nível pré-crise.

Segundo o Codace, a crise de 2015-6 teve início no segundo trimestre de 2014 e durou onze trimestres, ficando empatada com a recessão de 1989-92 no posto de "mais longa da nossa história". Passados três trimestres desde o fundo do poço, que foi atingido em dezembro de 2016, a economia ainda encontra-se em um nível 6,2% menor do que o que vigorava em março de 2014.

Se a economia brasileira crescer 2% ao ano a partir de 2018, por exemplo, o PIB pré-crise só será atingido em dezembro de 2021, somando nada menos do que vinte trimestres de recuperação. E mesmo se o crescimento a partir de 2018 fosse de 3%, como projetam aqueles que ignoram os efeitos contracionistas que o teto de gastos e a contração cada vez maior dos investimentos públicos terão sobre a economia, o PIB pré-crise só seria superado em junho de 2020 – catorze trimestres depois de o fundo do poço ter sido atingido.

Os dados também mostram que, na recuperação mais lenta da história, 75% dos empregos criados em 2017 foram informais – sem carteira assinada ou por conta própria – e que o restante foi gerado no setor público.

Diante de uma economia que ainda patina, portanto, a pergunta é se o que teremos pela frente é uma década de relativa estagnação do PIB per capita, como nos anos 1980, ou de expansão da renda média e geração de empregos formais, como nos anos 2000.

Em meio ao desemprego alto, à renda estagnada e ao alto endividamento herdado dos anos 2000, as medidas de estímulo ao consumo tomadas em 2017 atuaram como um atalho para uma retomada circunstancial, na medida em que a expansão do crédito não é um caminho desejável ou sustentável de retomada em meio ao alto endividamento e à estagnação da renda que ainda marcam o contexto atual. Uma recuperação capaz de reduzir de uma vez por todas a capacidade ociosa das empresas e dar início a um novo ciclo de expansão dos investimentos privados depende de aumentos mais substantivos da renda e do nível de emprego.

Mas, se uma recuperação substantiva do consumo das famílias e dos investimentos privados requer uma retomada da própria economia, seria necessário algum outro motor – mais autônomo – para nos tirar da estagnação. Como se viu no capítulo I, talvez o principal motor do crescimento nos anos 2000 tenha sido o aumento da demanda pelos produtos que exportamos, em grande parte resultado do desempenho excepcional da economia chinesa. Embora o cenário externo desfavorável que se seguiu àquele período também tenha chegado ao fim em 2016, não parece haver dinamismo suficiente em vista na economia mundial para que esta volte a atuar como um motor de crescimento da economia brasileira.

Além disso, durante o período do Milagrinho, o crescimento maior da economia e o boom nas commodities abriram espaço no Orçamento para uma forte expansão dos investimentos do governo. Como ficou claro desde 2015, essa é a rubrica que mais sofre cortes em meio às restrições orçamentárias.

Ou seja, sem uma revisão da PEC do teto de gastos, é seguro afirmar que os investimentos públicos em infraestrutura não atuarão como motor de crescimento na próxima década. A progressiva extinção dos mecanismos de financiamento de longo prazo a juros subsidiados também deve dificultar que o setor privado assuma esse papel. Para evitar outra década perdida, não basta parar de cavar o fundo do poço. É preciso parar de destruir as cordas que nos permitiriam sair dele.

4. Acertando os passos

As condições econômicas favoráveis que caracterizaram a segunda metade dos anos 2000 permitiram ao ex-presidente Lula compatibilizar a manutenção da alta parcela da renda destinada ao 1% mais rico da população com a elevação do nível de emprego formal e dos salários e a redução da disparidade entre o salário mínimo e o salário médio da economia. O ganha-ganha garantiu ao ex-presidente a sua base de sustentação política, abrindo espaço para que uma parte maior do Orçamento público fosse destinada a programas sociais, aos gastos com saúde e educação e aos investimentos em infraestrutura.

Desde 2011, a desaceleração econômica trouxe de volta um acirramento dos conflitos distributivos sobre a renda e o Orçamento público. A inflação de serviços, que crescia com os salários de trabalhadores menos qualificados, deixou de ser compensada pelo menor custo dos produtos e insumos importados – que era fruto da valorização cambial – e passou a causar maior descontentamento.

As sucessivas tentativas de resolver tais conflitos priorizando o lado mais influente da barganha, ora pela via da concessão cada vez mais ampla de desonerações fiscais e subsídios às margens de lucro dos empresários, entre 2012 e 2014, ora pela via da elevação do desemprego, redução de salários e ameaça aos direitos constitucionais, desde 2015, não tiveram efeito na estabilização da economia.

A experiência brasileira durante o Milagrinho, quando a redução das desigualdades salariais e o crescimento econômico retroalimentavam-se em um círculo virtuoso – que beneficiou não apenas os mais pobres como também os mais ricos –, não parece ter sido suficiente para convencer boa parte da elite econômica do país de que a democracia e a inclusão social rendem bons frutos.

Pior. Das desonerações e subsídios do primeiro mandato ao ajuste fiscal no segundo, o governo Dilma cumpriu à risca a lista de exigências das elites empresariais e financeiras, que só fazia aumentar. Nem o desemprego galopante e a queda rápida dos salários dos trabalhadores menos qualificados ajudaram a resgatar o país de seus captores. Os patos, ao contrário, continuaram multiplicando-se na avenida Paulista.

Considerando o fracasso dessa agenda em elevar lucros e vendas, a pergunta que não quer calar é: por que o empresariado nacional apoiou essas políticas, dando um tiro no próprio pé? Uma resposta pode estar na existência das chamadas falácias da composição – assertivas que atribuem ao todo a mesma propriedade que às partes que o integram. Em um estádio de futebol, por exemplo, é só ficar de pé para enxergar melhor. Salvo quando todos resolvem levantar-se. Nesse caso, todos perdem visão e conforto.

Na economia, essas falácias levam a falsas analogias entre o funcionamento de um agente econômico – uma família ou uma firma, por exemplo – e o sistema econômico como um todo. Daí a importância da distinção entre a macro e a microeconomia.

Talvez a falácia da composição mais conhecida na macroeconomia seja o chamado paradoxo da poupança – um dos elementos centrais no desenvolvimento da economia keynesiana e do princípio da demanda efetiva. Se uma família resolve consumir menos, sua poupança será maior. Mas, se todas as famílias tomam a mesma decisão, caem a demanda agregada e a própria renda nacional, fazendo com que a poupança total não aumente.

Outro paradoxo macroeconômico refere-se ao endividamento. Se uma família ou empresa decide gastar menos para pagar suas dívidas, o seu nível de endividamento cai em relação à renda. Mas, se todas as famílias, firmas e governo resolvem cortar gastos ao mesmo tempo para pagar suas dívidas, a renda nacional cai e o endividamento total aumenta em relação ao PIB. Da mesma forma, na teoria de deflação de dívidas de Irving Fisher, grandes depressões surgem quando muitos agentes ao mesmo tempo resolvem pagar suas dívidas por meio da venda de ativos: o resultado é que o preço dos ativos cai e o endividamento líquido sobe.

Outra falácia da composição está na essência das chamadas guerras fiscais: o Estado que consegue reduzir impostos pode até atrair mais empresas e acabar arrecadando mais, mas, se todos os Estados reduzem impostos, nenhum deles torna-se mais atrativo e todos perdem arrecadação.

Por fim, todo empresário sabe que reduzir o custo com a mão de obra é uma forma muito eficaz de ganhar competitividade em relação aos concorrentes e/ou aumentar o lucro. Mas, se uma mudança reduz o custo com a mão de obra de todos os empresários ao mesmo tempo, não é possível ganhar competitividade em relação aos concorrentes nacionais. E os exportadores, por sua vez, só ganham competitividade junto a concorrentes estrangeiros que não tenham seguido a mesma estratégia. Sabemos que não é esse o caso de boa parte do mundo globalizado nas últimas décadas. E o que é pior: se vale o chamado paradoxo dos custos de Kalecki, uma redução generalizada de salários em uma economia diminui também o mercado consumidor, reduzindo vendas e lucros. Em outras palavras, falta a boa parte do empresariado nacional perceber que de nada adianta ter uma fatia maior de um bolo menor.

Além disso, tornam-se cada dia mais íntimas, no Brasil e no mundo, as relações entre o capital produtivo e o capital financeiro. Essas relações se dão tanto pela financeirização das atividades produtivas, quanto pelas ideias que dominam o pensamento econômico.

John Maynard Keynes já alertava em 1936 que "a sabedoria mundana ensina que é melhor para a reputação errar de forma convencional do que acertar de forma não convencional". Em uma analogia que ficou famosa como "o concurso de beleza de Keynes", os participantes do mercado financeiro agem como num antigo jogo de adivinhação em que os competidores deviam escolher, entre cem fotografias, os seis rostos mais bonitos. Ganhava o prêmio aquele cuja escolha fosse a mais próxima da preferência média do conjunto de jogadores. Assim, o jogo não consistia na escolha dos rostos que o competidor considerava, ele próprio, mais bonitos, e sim daqueles que ele julgava atraentes para os demais. Em um terceiro grau do raciocínio, os jogadores passavam a tentar adivinhar quais rostos os demais supunham que os outros achariam mais bonitos.

George Soros, um dos maiores vencedores desse jogo no mercado financeiro, desenvolveu o conceito de reflexividade, segundo o qual o mundo real é modificado pela forma como os agentes entendem a realidade.

Mas, se as recompensas oferecidas ao senso comum são tanto mais altas quanto mais participantes compactuarem com ele, aqueles que já fizeram suas apostas têm todo o interesse em convencer os demais da validade dos seus modelos. As agências de classificação de risco, por exemplo, servem bem ao propósito de comunicar a visão dominante para aqueles que não haviam adivinhado ainda as fotografias certas. E por isso foram condenadas a pagar multa bilionária por contribuir para a crise americana do "subprime", quando classificaram ativos podres como livres de risco.

Além das bolhas e das crises financeiras, o concurso de beleza de Keynes também ajuda a manter vivos muitos modelos econômicos equivocados, já que a alguns economistas reconforta ou interessa mirar na teoria que será validada pelo mercado e por seus pares, em vez daquela que melhor explica a realidade.

O caso da austeridade

Os economistas só mantêm alguma credibilidade porque existem os meteorologistas, reza a piada, mas os avanços recentes da meteorologia vêm nos colocando cada vez mais em maus lençóis. No jogo das projeções econômicas, achar sete erros ficou fácil demais. Basta uma olhadinha, por exemplo, no crescimento projetado pelos relatórios anuais do FMI para a economia grega desde 2008. Tirando a projeção de 2014, todas se mostraram excessivamente otimistas. No caso brasileiro, não foi diferente desde o início do ajuste fiscal.[1]

Mas por que os economistas erram tanto em suas previsões? Uma primeira resposta possível é de caráter propriamente econômico: os pressupostos dos modelos utilizados são equivocados. Ao considerar que a economia está restrita pelo lado da oferta, os cenários construídos ignoram, por exemplo, que as próprias medidas de ajuste têm impacto contracionista pelo lado da demanda, direta e indiretamente.

Além de causar erros nas previsões de crescimento, esse equívoco torna ineficaz a própria tentativa de melhora nos indicadores fiscais, já que o PIB menor e a queda na arrecadação tributária que o acompanha impossibilitam a retomada de uma trajetória sustentável de endividamento.

1 O Relatório Focus de 9/1/2015, o segundo após a entrada de Joaquim Levy no Ministério da Fazenda, aponta expectativas de crescimento do PIB da ordem de 0,4% para 2015 e 1,8% para 2016. No relatório de 15/5/2015 essas previsões já haviam caído para -1,2% em 2015 e 1% de crescimento em 2016. Como vimos, a queda do PIB acabou sendo de 3,5% em 2015 e em 2016.

Um dos temas do debate público promovido na City University of New York, em 7 de dezembro de 2015, entre o vencedor do Prêmio Nobel Paul Krugman e o ex-economista-chefe do FMI Olivier Blanchard, foi justamente a mudança da visão do Fundo acerca dos efeitos da austeridade fiscal.

Blanchard destacou duas etapas nesse processo. Na primeira, logo após a crise de 2008 e diante do colapso da demanda privada nos países ricos, concluiu-se que a política monetária não seria suficiente para estimular essas economias e o FMI passou a defender um deficit fiscal de 2% do PIB. Essa recomendação, que Blanchard classifica como revolucionária, só foi aceita pelos governos, segundo ele, porque estes estavam perdidos e, assim, dispostos a aceitar remédios mágicos. Por sorte, diz, aceitaram o remédio certo.

Na segunda etapa, já em 2010, alguns países ricos esboçavam uma recuperação, mas tinham níveis muito altos de endividamento público. Na Europa, segundo Blanchard, os alemães conseguiram emplacar a ideia de que bastaria agir de forma bem comportada para que as economias melhorassem.

Krugman lembra que a doutrina de que cortar gastos públicos poderia ser expansionista, por resgatar a confiança dos agentes privados e, assim, os investimentos, era sustentada por pesquisas que quantificavam estatisticamente reduções no deficit fiscal não oriundas de variações no ciclo econômico e encontravam impacto positivo sobre o crescimento. No entanto, o método utilizado não identificava episódios muito conhecidos de ajuste fiscal nos países, além de outras falhas. Um estudo econométrico de grande porte realizado por pesquisadores do FMI em 2011 identificou tais episódios e chegou à conclusão nada surpreendente de que contrações fiscais são, pasmem, contracionistas.

Nesse contexto, e a partir da evidência de que as economias europeias tiveram desempenho muito pior do que o previsto em 2010 e 2011, Blanchard teria se dedicado a descobrir a origem dos erros de projeção do Fundo. Seriam fruto de coisas imprevisíveis ou de fatos conhecidos que não haviam sido considerados corretamente? Um estagiário teria então apresentado em uma reunião um gráfico que mostrava forte correlação entre a magnitude da consolidação fiscal implementada nos países e o tamanho dos erros de projeção. Em períodos de recessão, a consolidação fiscal teria, portanto, efeitos muito piores sobre o produto do que o previsto nos modelos. Uma versão mais elaborada do gráfico apareceu no World Economic Outlook de outubro de 2012, sinalizando de uma vez por todas a mudança na visão do Fundo.

Um artigo de três dos principais economistas do FMI publicado em 2016 e intitulado "Neoliberalism: Oversold?"[2] também teve grande repercussão. A começar pelo título: a palavra "neoliberalismo" até então era considerada um palavrão típico de maluco de palestra, desses que não devem entender nada de economia e de capitalismo. Na contramão, os autores defendiam que, ao invés de estimular o crescimento, algumas políticas neoliberais teriam elevado a desigualdade, prejudicando uma expansão econômica duradoura. Uma das críticas recaía sobre as políticas voltadas para a redução do tamanho do Estado na economia: o custo da redução da dívida pública, via aumento de impostos ou cortes de gastos produtivos, poderia ser maior do que o benefício.

> Diante de uma escolha entre viver com uma dívida mais alta – permitindo que a razão dívida-PIB caia organicamente pela via do crescimento – ou promover deliberadamente superavits fiscais para reduzir a dívida, governos com espaço fiscal amplo se dão melhor ao conviver com a dívida.

2 Ostry et al. (2016).

O argumento é reforçado pela referência a um estudo que indica que uma consolidação fiscal de 1% do PIB aumenta a taxa de desemprego em 0,6 ponto percentual no longo prazo, e o índice de Gini, que mede a desigualdade, em 1,5% em cinco anos.

> Estratégias de consolidação fiscal – quando necessárias – podem ser desenhadas para minimizar o impacto adverso nos grupos de baixa renda. Mas, em alguns casos, as consequências distributivas inconvenientes terão de ser remediadas depois de sua ocorrência, com a utilização de impostos e gastos públicos para redistribuir renda.

Gastos com educação, por exemplo, são considerados bem-vindos.

Em artigo publicado na revista *Jacobin* em março de 2017, Josh Mound alertou para o fato de que, historicamente, enquanto os democratas reduzem despesas em favor do equilíbrio fiscal, os republicanos, ao assumirem o poder, aproveitam-se desse equilíbrio para reduzir os impostos pagos pelos mais ricos, deteriorando as contas públicas. Quando questionados por não imporem a si mesmos a disciplina fiscal que exigem dos democratas, os republicanos argumentam que a redução de impostos ajudaria a estimular o crescimento e elevar a arrecadação. Recorrem assim ao bom e velho "*trickle down economics*", segundo o qual os incentivos dados ao andar de cima acabam chegando ao andar de baixo por meio da geração de empregos.

Em suma, enquanto os democratas enganam-se ao considerar que a política fiscal é apenas uma questão de controle dos deficits, os republicanos sabem que ela é sobretudo um instrumento de redistribuição de renda – no caso deles, para o topo da pirâmide.

Ao tratar de algumas iniciativas de Donald Trump que vão exatamente nessa direção, Bernie Sanders utilizou-se da expressão "*corporate welfare*", que tomo a liberdade de traduzir para "bem-estar empresarial". O termo foi popularizado nas eleições canadenses de 1972 pelo líder do Novo Partido Democrático à época, David Lewis. É evidente que Sanders fez um jogo com a expressão "Estado de bem-estar social": em vez de proteger os mais vulneráveis por meio de programas sociais e serviços públicos universais de qualidade, o Estado de bem-estar empresarial estaria mais concentrado em oferecer desonerações fiscais, subsídios e outras formas de tratamento especial para grandes corporações.

O termo cai como uma luva – não só para as ações de Donald Trump, mas também para o programa Ponte para o Futuro do PMDB, o Programa de Parcerias e Investimentos (PPI) de Michel Temer e a Agenda Fiesp implementada por Dilma Rousseff desde 2011.

O que a experiência brasileira vem mostrando, no entanto, é que abrir mão da realização de investimentos públicos diretos para oferecer desonerações fiscais, subsídios e outros incentivos a grandes empresas pode sair muito caro para as contas públicas e a economia em geral.

Ainda assim, em meio à crise profunda e à falta total de motores de crescimento econômico, o caminho escolhido tem sido o de desmontar de vez o nosso já frágil Estado de bem-estar social e eliminar permanentemente a possibilidade de atuação do Estado como investidor em infraestrutura.

Estado e bem-estar

As manifestações de junho de 2013 eclodiram reivindicando direitos ao Estado provedor. Fortaleceram-se com a revolta contra um Estado repressor. Expandiram-se com protestos contra um Estado corrupto. E, em alguma medida, dissiparam-se pela contradição entre os clamores por mais Estado, de um lado, e sua completa rejeição, de outro. Afinal, que Estado merece ser demonizado?

Para além da corrupção ou da ineficiência, três são as características do Estado brasileiro que deveriam ser rejeitadas por uma sociedade que ainda tem alguma pretensão de desenvolver-se de forma democrática. A primeira e mais urgente é a do Estado opressor, um verdadeiro *serial killer* de assentados rurais, índios e jovens negros e pobres das favelas e periferias urbanas. A segunda é a do Estado penitenciário, que encarcera em massa e leva à superlotação de nosso sistema prisional. A terceira é a do Estado concentrador de renda. Além de pagar juros altos para os detentores de títulos da dívida pública, de tributar muito o consumo e pouco a renda e o patrimônio e de tolerar a sonegação e a elisão fiscal de empresas privadas, o Estado brasileiro ainda paga supersalários a uma parte dos seus funcionários.

No levantamento realizado pelos pesquisadores Pablo Ortellado, Esther Solano e Lucia Nader na avenida Paulista durante as manifestações pró-impeachment do dia 16 de agosto de 2015, a saúde e a educação despertaram reações quase unânimes. Entre os manifestantes, 97% concordaram total ou parcialmente que os serviços públicos de saúde devem ser universais, e 96%, que devem ser gratuitos. Já sobre a universalidade e a gratuidade da educação, o apoio foi de 98% e 97% dos manifestantes, respectivamente. "Isso é um resquício de junho de 2013", afirmou Pablo Ortellado a uma reportagem do jornal *El País* de 18 de agosto de 2015.[3]

Tal consenso, somado aos resultados nas urnas das últimas quatro eleições presidenciais, sugere que o pacto social que deu origem à Constituição de 1988 não foi desfeito. Ao contrário, as demandas nas ruas desde 2013 e nas ocupações das

3 https://brasil.elpais.com/brasil/2015/08/18/politica/1439928655_412897.html

escolas desde 2015 têm sido por melhorias nos serviços públicos universais, e não pela redução na sua prestação.

Se o PIB brasileiro crescer nos próximos vinte anos no ritmo dos anos 1980 e 1990, a PEC do teto de gastos, se mantida, nos levará de um percentual de gastos públicos em relação ao PIB da ordem de 40% para 25%, patamar semelhante ao verificado em Burkina Faso ou no Afeganistão. E, se crescermos às taxas mais altas que vigoraram nos anos 2000, o percentual será ainda menor, da ordem de 19%, o que nos aproximará de países como o Camboja e Camarões.

"A Constituição não cabe no Orçamento", argumentam os defensores da PEC, na tentativa de transformar em minúcia técnica uma decisão que deveria ser democrática. De fato, há uma contradição evidente entre desejar a qualidade dos serviços públicos da Dinamarca e pagar impostos da Guiné Equatorial. O que os advogados da austeridade esquecem de ressaltar é que, no Brasil, os que pagam mais impostos são os que têm menos condições de pagá-los. O pagamento de juros escorchantes sobre a dívida pública não é sequer discutido, mas as despesas com os sistemas de saúde e educação são tratadas como responsáveis pela falta de margem de manobra para a política fiscal. A democracia caberia no Orçamento. O que parece não caber é a nossa plutocracia oligárquica.

Além disso, conforme sugere o estudo empírico[4] dos sociólogos Katherine Beckett e Bruce Western, que utiliza dados dos estados norte-americanos entre 1975 e 1995, a taxa de encarceramento costuma ser maior onde o Estado de bem-estar social é mais fraco. A conclusão dos autores é que a redução dos programas sociais nos Estados Unidos durante os anos 1980 e 1990 refletiu a emergência de um novo sistema de administração do que chamam de "a marginalidade social".

4 Beckett e Western (2001).

O achado vai na linha do que havia exposto o sociólogo Loïc Wacquant em *As prisões da miséria*.[5] Em vez da redução da intervenção estatal na sociedade, a opção por "menos Estado" econômico e social, que é a própria causa da escalada generalizada da insegurança objetiva e subjetiva nos vários países, leva à necessidade de "mais Estado" policial e penitenciário.

As evidências apresentadas por Richard Wilkinson e Kate Pickett no best-seller *The Spirit Level*,[6] publicado em 2009, parecem conferir generalidade a tais argumentos. Os dados compilados para um conjunto de países ricos indicam que, quanto maior o nível de desigualdade, maior também é a taxa de encarceramento por habitante. O cruzamento de dados mais recentes de encarceramento apresentados pelo Institute for Criminal Policy Research (ICPR) com o índice de Gini divulgado pelo Banco Mundial sugere que essa relação positiva vale para o conjunto de países do G20 e que o Brasil não foge à regra.

Em uma sociedade como a nossa, que nunca deixou de estar entre as mais desiguais do mundo, a opção por medidas de redução estrutural da rede de proteção social, em vez da via da tributação mais justa e do fortalecimento do Estado de bem-estar social, reforça uma abordagem exclusivista e punitivista da marginalidade social.

A proteção aos mais vulneráveis sempre pode caber no Orçamento, mas o genocídio jamais caberá na civilização. Enquanto a insustentabilidade do sistema previdenciário em meio à elevação da expectativa de vida for vista pela maioria como mais dramática do que a insustentabilidade de um sistema penitenciário em meio à produção de um número cada vez maior de excluídos, estaremos condenados à barbárie.

5 Wacquant (1999). **6** Wilkinson e Pickett (2010).

Uma agenda econômica viável, além de ambiciosa, tem de buscar atender as demandas da maioria dos brasileiros. Dos brasileiros de hoje e de amanhã. E deve levar a economia de volta a uma trajetória de crescimento sustentável, que gere empregos e melhore a condição de vida da população.

Uma agenda com essas pretensões não deve partir do pressuposto de que a democracia é um entrave ao desenvolvimento econômico. A construção de um novo Brasil não pode, portanto, se iniciar passando um trator por cima de direitos de trabalhadores e minorias; das demandas por serviços públicos universais de qualidade; das instituições democráticas que conquistamos; do meio ambiente ou de nossos territórios indígenas.

Mas se a democracia não é entrave ao crescimento econômico, a desigualdade é. Uma nota do FMI (2017) preparada para uma reunião de líderes do G20 em Hamburgo apresentou evidências de que os países com maiores índices de desigualdade tendem a ter taxas de crescimento mais baixas e menos duradouras. A nota destaca também o papel crucial da política fiscal para o crescimento inclusivo, seja por meio da tributação progressiva, seja por meio da provisão de serviços públicos e benefícios diretos para os mais vulneráveis.

No plano emergencial, só a retomada do crescimento poderá levar a economia de volta ao equilíbrio fiscal e aliviar os conflitos hoje tão exacerbados sobre as minguantes fatias dos bolos do orçamento e do PIB. Para tanto, o governo não pode continuar apostando na boa vontade do setor privado, por meio do sistema de concessões ou de uma suposta melhora no ambiente de negócios. É mais garantido ligar de novo a engrenagem dos investimentos públicos em infraestrutura física (transportes, saneamento etc.) e social (como saúde e educação) e, ao mesmo tempo, eliminar subsídios indiscriminados, na forma de desonerações tributárias, por exemplo.

No plano estrutural, uma reforma tributária ampla deve reduzir impostos indiretos sobre o consumo e a produção e elevar impostos diretos sobre a renda e o patrimônio. Uma nova regra fiscal deve manter a margem de manobra no caso de flutuações inesperadas no PIB e nas receitas. Já o regime de metas de inflação deve evitar altas desproporcionais e inócuas dos juros, como resposta a choques temporários nos preços administrados e de alimentos. Juros mais baixos aliviariam o custo de serviço da dívida pública, as tendências de apreciação cambial e o aprofundamento das desigualdades.

Uma nova política de desenvolvimento produtivo, por sua vez, deve mirar a estrutura produtiva que queremos ter, e não simplesmente atender a pressões difusas do empresariado de hoje. E, por fim, as políticas de inclusão social devem ser aprofundadas, pela via tanto do aumento da renda como de melhores serviços públicos.

Itens como esses não terão o lugar merecido em nenhuma agenda construída apenas e tão somente para atender aos financiadores de campanha representados no Congresso, ou aos interesses do mercado financeiro, tão bem representados no Ministério da Fazenda. Numa agenda para todos, todos têm de ser ouvidos.

Reforma tributária

No período entre 2002 e 2015, a carga tributária brasileira se manteve estável, ao redor dos 32% do PIB, o que situou o Brasil acima da maior parte dos vizinhos da América Latina, mas abaixo da maior parte dos países da OCDE – em um total de trinta países, a carga tributária brasileira figura em vigésimo lugar. Em termos per capita, ocupa posição ainda mais baixa.

O indicador é um reflexo das escolhas da sociedade acerca da abrangência dos serviços públicos e benefícios sociais. Se a maior parte da população deseja manter a gratuidade e a universalidade da saúde pública, por exemplo, é de se esperar que a carga tributária brasileira seja maior do que a de países ricos que não contam com tal sistema, como é o caso dos Estados Unidos.

Mas se o tamanho da carga e sua evolução na última década não chamam atenção, sua composição faz do Brasil um verdadeiro campeão de injustiças tributárias. Os dados de 2015 da Receita Federal sugerem que os chamados impostos indiretos, que incluem os tributos sobre a produção e o consumo de bens e serviços, representam, no Brasil, 49,7% da arrecadação total. Se considerarmos apenas a carga tributária referente a essa modalidade de impostos, o Brasil passa do vigésimo para o segundo lugar no ranking de trinta países da OCDE.

Tal proporção torna a carga tributária brasileira injusta, na medida em que todos pagam exatamente a mesma alíquota de imposto sobre o consumo, independentemente da renda. Ou seja, uma pessoa rica paga muito menos imposto sobre o que consome, em relação à sua renda, do que uma pessoa pobre, o que caracteriza a regressividade da tributação.

Os impostos diretos, por sua vez, têm peso muito menor no Brasil do que nos outros países. Os tributos sobre a renda, os lucros e os ganhos de capital representam apenas 18,27% da arrecadação total. Se a ordenação for feita pela carga tributária associada apenas a esse tipo de imposto, o Brasil passa a figurar em último lugar entre os países da OCDE. Nos Estados Unidos – um país que está longe de se destacar pela progressividade tributária –, esse percentual é de quase metade da arrecadação total, por exemplo.

Além disso, o IRPF vem perdendo progressividade ao longo do tempo no Brasil, seja pela defasagem nas faixas de tributação em relação à inflação, o que acaba estendendo a cobrança de imposto cada vez mais para a base da pirâmide de distribuição de renda, seja pela isenção de tributação da maior parte dos rendimentos no topo da pirâmide.

Segundo os dados de 2015 da Receita Federal, os brasileiros com renda média mensal de 135 mil reais – que representam 0,1% dos declarantes – pagaram alíquota efetiva de IRPF de apenas 9,1%. Ainda no topo da pirâmide, os 0,9% dos declarantes com renda média mensal de 34 mil reais pagaram 12,4% de alíquota efetiva. Ou seja, a alíquota máxima de 27,5%, que já não é alta em relação a outros países (nos Estados Unidos, é de 39,6%, por exemplo), não se aplica a boa parte dos rendimentos dos mais ricos no Brasil.

A isenção de tributação dos chamados dividendos é a principal responsável por essa aberração. É verdade que o lucro das empresas já é tributado por meio do Imposto de Renda da Pessoa Jurídica (IRPJ) e da Contribuição Social sobre o Lucro Líquido (CSLL), o que seria a justificativa para a isenção de qualquer tributação adicional sobre os lucros distribuídos aos sócios e acionistas – e que, portanto, não são reinvestidos nas empresas – em vigor no Brasil a partir de 1995.

No entanto, do ponto de vista jurídico, não se tratava de bitributação: os sujeitos passivos do IRPJ/CSLL e do IRPF cobrado sobre os dividendos são diferentes: no primeiro caso, as pessoas jurídicas e, no segundo, as pessoas físicas. Do ponto de vista do estímulo para o investimento produtivo, certamente é preferível tributar menos os lucros na pessoa jurídica e mais os dividendos na pessoa física.

Os dividendos são tributados em todos os países da OCDE, excluindo a Estônia, com alíquota média de 24,1%. Embora as proporções entre tributação na pessoa jurídica e na pessoa física variem entre os diferentes países, o total da parcela dos lucros absorvida pelo Estado sob a forma de tributos é, em média, muito mais alto do que no Brasil.

As estimativas apresentadas por Orair e Gobetti (2016) sugerem que uma tributação de dividendos nos moldes vigentes até 1995 – com alíquota linear de 15% – traria 53 bilhões de reais aos cofres públicos, aos preços de 2016. Se a tributação fosse feita com as alíquotas progressivas vigentes na atual tabela de IRPF, a receita adicional ultrapassaria os 70 bilhões. E se, além disso, fosse cobrada uma alíquota maior de IRPF (35%) para rendas muito elevadas, a arrecadação aumentaria em pelo menos 90 bilhões – mais da metade do deficit primário do governo federal em 2016.

Esse aumento de carga pela tributação dos dividendos serviria bem ao propósito emergencial de resolver os problemas fiscais de curto prazo sem gerar impacto macroeconômico recessivo. No médio prazo, a carga tributária poderia então retornar ao patamar atual, por causa da redução de impostos indiretos.

Graças às propriedades do chamado multiplicador de Haavelmo, tributar os mais ricos e gastar o mesmo valor com políticas que elevam a renda dos mais pobres direta ou indiretamente tem alto efeito multiplicador. Isso porque enquanto os mais ricos consomem uma parte relativamente pequena da sua renda, os mais pobres consomem tudo ou quase tudo daquilo que ganham, o que contribui para dinamizar a economia.[7]

7 Os dados da Pesquisa de Orçamentos Familiares (POF) do IBGE de 2009 mostram que a propensão a consumir aumenta substancialmente quando nos movemos do topo para a base da distribuição, sendo em média de 56% da renda bruta para os que recebem acima de 10.375 reais mensais, e de mais de 100% para os que ganham menos do que 830 reais. Assim, a cada mil reais transferidos dos mais ricos para os mais pobres direta ou indiretamente (via geração de emprego e renda), o consumo das famílias aumentaria em 730 reais.

Em outras palavras, uma reforma tributária progressiva deve elevar a tributação sobre a renda e o patrimônio dos mais ricos – o Brasil também taxa relativamente pouco as grandes heranças e propriedades – e reduzir a tributação sobre o consumo, a produção e os lucros reinvestidos nas empresas.

Uma reforma nesses moldes aumentaria substancialmente a capacidade do Estado de promover um processo de crescimento econômico inclusivo. Quando se abrem os trabalhos tributando de forma injusta, a tarefa de distribuir renda torna-se quixotesca e, inevitavelmente, limitada.

Investimentos públicos

A ideia de que os investimentos das empresas podem funcionar como motor autônomo de retomada em meio à recessão e ao alto endividamento não encontra respaldo na evidência empírica. Diversos estudos econométricos que examinam a relação de causalidade entre os componentes do PIB sugerem que os investimentos das empresas respondem aos componentes autônomos do gasto, quais sejam, os que dependem pouco do próprio nível de atividade econômica – exportações, investimentos residenciais e investimentos públicos, por exemplo.

Esses achados reforçam as teorias que atribuem ao investimento privado um caráter essencialmente induzido, ou seja, que consideram que a expansão da capacidade produtiva pela compra de novas máquinas, equipamentos ou construção de novas plantas responde à própria atividade econômica. Em outras palavras, firmas que operam com capacidade ociosa não encontram razões para ampliar sua capacidade além da existente. Uma retomada dos investimentos tem de ser antecedida por um aumento das vendas, que, por sua vez, depende de algum fator autônomo de injeção de demanda.

É sobretudo por essa razão que desonerações fiscais e subsídios diversos aos lucros dos empresários não foram capazes de elevar investimentos privados desde a implementação da Agenda Fiesp pela presidente Dilma. Ao contrário, serviram como políticas de transferência de renda para os mais ricos e contribuíram para deteriorar as contas públicas.

A retomada da economia brasileira exige um combate em duas frentes simultâneas. De um lado, há um problema de estoque: o alto endividamento vem comprometendo parte da renda gerada, o que pode exigir um programa de renegociação de dívidas de empresas e famílias. De outro, há um problema de fluxo: famílias e empresas estão vendo seus rendimentos caírem.

No velho círculo vicioso da falta de demanda, o desemprego maior e a queda de salários prejudicam as vendas e os lucros das empresas, que investem menos e demitem mais. A saída está em uma injeção autônoma de demanda na economia, que, se não vier de fora com exportações maiores, tem de vir dos investimentos do Estado.

Mas não é apenas como motor de retomada em meio à recessão que os investimentos públicos assumem um papel central. É necessário reestabelecer os investimentos públicos em infraestrutura enquanto pilar da política econômica. Devido ao seu caráter de longo prazo e, consequentemente, ao alto risco envolvido, os investimentos em infraestrutura requerem sempre o apoio do Estado – diretamente ou por meio de parcerias e financiamento. Esses investimentos têm o efeito de reduzir os custos e elevar a produtividade das empresas, ajudando a romper gargalos estruturais de oferta no longo prazo. Ao reduzir custos de produção, também ajudam as empresas a aumentar a competitividade e/ou recuperar as margens de lucro sem a necessidade de elevação de preços. Assim, se bem-sucedidos, ajudam no desempenho exportador do país e até mesmo no controle da inflação.

Não à toa, os investimentos públicos em infraestrutura vêm assumindo papel central nos programas econômicos de diversos candidatos progressistas nas eleições presidenciais ao redor do mundo. No Brasil, essa centralidade é ainda mais justificada, dadas as carências de infraestrutura do país.

O ranking realizado pelo Fórum Econômico Mundial em 2014 colocou o Brasil na 120ª posição em um total de 144 países no que tange à qualidade geral da infraestrutura e mostrou que o país involuiu nos últimos anos (em 2010, assumia a 84ª posição). Um estudo do FMI (2015b) mostrou que o país tem infraestrutura pior do que seus principais competidores e países com renda similar. Esse deficit aparece sobretudo na área de transporte (rodovias, ferrovias, portos e aeroportos). Em oferta de energia elétrica, por exemplo, o país está acima da média.

Esses gargalos refletem a queda do investimento em infraestrutura, de cerca de 5,2% do PIB nos anos 1980 para, em média, menos de 2,5% nas últimas duas décadas. Esse investimento foi menor do que o observado em outros países da América Latina e emergentes.[8] O Chile saltou de um investimento de 3,44% entre 1981 e 1986 para 5,21% entre 2001 e 2006. Mesmo a Colômbia, que sofreu uma queda em seus 3,13% de investimento na década de 1980, ainda investiu proporcionalmente 0,66% mais do que o Brasil entre 2001 e 2006 – mantendo um nível de 2,77%.

Essa queda deveu-se sobretudo à redução do espaço fiscal para investimentos públicos, principalmente a partir da adoção de uma meta de superavit primário que desconsidera efeitos do ciclo econômico sobre a arrecadação e não distingue os investimentos de outros tipos de despesa. O setor privado, por sua vez, não substituiu o setor público nesses investimentos. O programa de concessões, em particular, tem enfrentado uma série de atrasos e dificuldades em atrair empresas interessadas,

8 Ver, por exemplo, Calderón e Servén (2010).

além de nem sempre garantir a realização de investimentos, já que também deve priorizar a cobrança de tarifas menores pelas concessionárias.

Além da precariedade da rede de transportes interestadual e intermunicipal, o Brasil tem enorme carência de infraestrutura em seus centros urbanos. A melhoria na qualidade do transporte público nas cidades, com impacto não apenas no tempo de traslado, mas também na qualidade do ar, exige investimentos massivos e o apoio do governo federal. Nesse sentido, cabe apontar as deficiências dos investimentos em infraestrutura urbana no âmbito do PAC. Sem planejamento ou reforma urbana, boa parte deles acabou sendo destinada para as áreas mais valorizadas das cidades ou o traslado para aeroportos, em vez de atender ao objetivo mais urgente de reduzir o tempo de chegada da população de baixa renda ao local de trabalho. Ao obedecer a interesses privados, tais investimentos contribuíram para elevar o preço do metro quadrado dos imóveis, aprofundar os problemas relacionados à especulação imobiliária e ampliar desigualdades.

Ainda como exemplo, é urgente superar o deficit histórico do país na área de saneamento básico. Desde que a Lei do Saneamento Básico entrou em vigor, em 2007, a parcela da população com acesso à coleta de esgoto subiu lentamente, de 42% em 2007 para 50,3% em 2015. Quanto ao abastecimento de água, apesar da abrangência ser maior, a evolução foi ainda mais lenta: aumentou de 80,9% em 2007 para 83,3% em 2015. Esse deficit é ainda maior nas regiões Norte e Nordeste. Na região Norte, somente 16,4% do esgoto é tratado.[9]

O setor de saneamento tem como característica a presença de custos fixos elevados em capital altamente específico, do que decorre o baixo incentivo ao investimento na área por empresas privadas. Como se trata de um setor que é fonte de problemas

9 Dados do Sistema Nacional de Informações sobre Saneamento (SNIS).

ambientais, sociais e de saúde, os investimentos públicos deveriam ser prioridade em qualquer programa econômico minimamente comprometido com as carências históricas do país.

Em meio às pressões políticas pelo ajuste fiscal, a realização de tais investimentos exige, em um primeiro momento, um plano emergencial que eleve a arrecadação, pela tributação de dividendos e outros impostos sobre a renda e o patrimônio e a eliminação das desonerações pouco criteriosas.

Quanto ao corte de despesas, o foco deveria recair, por exemplo, na utilização por servidores de remunerações disfarçadas de indenizações como forma de ultrapassar em muito o teto constitucional dado pelo salário dos ministros do STF. As remunerações por participação em conselhos de empresas públicas, aposentadorias, auxílios e gratificações diversas chegam a justificar salários de mais de 100 mil reais. Um ajuste que reduza tais privilégios seria muito mais relevante, até mesmo do ponto de vista simbólico, do que o corte de ministérios, por exemplo. E certamente menos danoso à geração de empregos e renda do que os cortes de investimentos públicos.

Resolvido o problema fiscal de curto prazo, é necessário alterar o regime fiscal brasileiro de modo a conferir-lhe um caráter anticíclico e abrir espaço para investimentos públicos. Para tanto, seria necessário rever não apenas a PEC do teto de gastos, mas também a regra fiscal baseada em uma meta de superavit primário. Esta tem efeitos pró-cíclicos porque, quando a economia vai bem e a arrecadação sobe, o superavit primário também sobe, abrindo espaço para maiores gastos e investimentos, o que reforça a expansão. Quando a economia vai mal, por sua vez, para cumprir a meta o governo é obrigado a reduzir gastos e investimentos, agravando a própria crise.

As alternativas são várias. Uma delas é adotar uma meta para o resultado primário estrutural, ou seja, aquele que expurga a parte da arrecadação e dos gastos oriunda do ciclo econômico.

Nesse caso, quando a economia crescesse, a parte da arrecadação que é contabilizada para a meta não subiria, o que manteria os gastos e investimentos controlados. Já em períodos de crise, a arrecadação contabilizada tampouco cairia, o que permitiria ao governo manter seus gastos e investimentos.

Outra possibilidade é ter uma meta para o superavit primário similar àquela utilizada para o regime de inflação, com piso e teto, conferindo ao governo alguma margem de manobra diante de flutuações inesperadas. Em caso de descumprimento da meta fiscal, o ministro da Fazenda prestaria contas ao Congresso e à sociedade, como faz o presidente do Banco Central quando descumpre a meta de inflação.

Por fim, é preciso conferir aos investimentos um caráter especial entre as despesas do governo federal, pelo retorno que geram no longo prazo e o papel que desempenham. Não faz sentido que os investimentos sejam sempre a primeira despesa a ser cortada quando há dificuldade em cumprir a meta. Deveríamos seguir o Reino Unido, onde os investimentos são poupados da meta fiscal.

Juros e inflação

As nossas altas taxas de juros suscitam um dos maiores debates da macroeconomia brasileira. A combinação entre taxas de juros elevadas e inflação alta em meio a uma das maiores crises da nossa história deu novos contornos ao debate: enquanto alguns economistas consideraram justificado o conservadorismo da política monetária, outros chegaram a atribuir aos juros altos a responsabilidade pela própria aceleração da inflação.

O diagnóstico sobre a atuação da política monetária e, consequentemente, sobre o patamar adequado da taxa de juros está muito relacionado ao debate teórico sobre a natureza do próprio processo inflacionário.

Desde a crise de 2008, tornou-se quase impossível achar um economista fiel à Teoria Quantitativa da Moeda, por exemplo. O monetarismo de Milton Friedman, que disse certa vez que "a inflação é sempre e em toda parte um fenômeno monetário", vive hoje um recorde de baixa popularidade: a expansão monetária realizada pelos bancos centrais de países ricos após a crise e as baixas taxas de inflação que ainda vigoram por lá se encarregaram de enfraquecê-lo. Está mais do que na hora, portanto, de romper com o senso comum tupiniquim de que toda inflação vem do excesso de dinheiro em circulação.

A chamada Teoria Fiscal do Nível de Preços e a própria tese da dominância fiscal, por sua vez, têm sido utilizadas para dar sustentação à ideia de que elevar os juros contribui para aumentar a taxa de inflação pelo efeito dos juros maiores sobre a dívida pública. Que a fixação de taxas de juros altas pelo Banco Central brasileiro contribui para elevar a dívida pública parece inequívoco, já que, como vimos, boa parte dos nossos títulos públicos é indexada à própria taxa Selic. Isso não quer dizer, no entanto, que essa dinâmica seja responsável pela alta da inflação. Afinal, os mesmos países que expandiram muito o estoque de moeda no pós-crise sem nenhum efeito inflacionário passaram por um forte aumento da dívida pública.

Nem toda inflação é igual ou causada pelos mesmos fatores. Olhar para os dados e para as nossas particularidades é fundamental para arejar o debate e pensar soluções. O que vimos foi que na experiência brasileira recente, após um período de alta inflação de serviços devido à queda do desemprego e ao crescimento acelerado dos salários – o custo mais relevante para esses setores –, evoluímos para uma inflação puxada sobretudo pelos preços administrados, que subiram mais de 18% em 2015. Sofremos também, em algumas ocasiões, outros choques de custos: por exemplo, altas do dólar, que encarecem insumos importados, e altas de preços de alimentos.

O traço comum é a forte inércia: em um país que nunca se livrou totalmente da alta memória inflacionária e da indexação de contratos, choques e elevações localizadas de preço tendem a contaminar os demais preços e a persistir no tempo.

Desde 2016, no entanto, a inflação passou a cair de forma acelerada. Essa redução se deu apesar dos juros reais e da dívida pública ainda em alta e pode ser explicada por uma combinação de fatores: apreciação do real, desemprego elevado e salários em queda e fim do efeito dos choques de preços administrados e de alimentos. Ou seja, a inflação não parece ter sido mais alta em razão dos juros altos, mas tampouco exigia juros tão altos para ser controlada.

No regime de metas de inflação, o único instrumento para o controle de preços – independentemente da natureza do processo inflacionário em questão – é a taxa de juros. Esse instrumento, segundo as teorias convencionais, deve atuar por meio do controle da demanda agregada. Em outras palavras, quando as previsões são de aumento da inflação, o Banco Central deve subir os juros, desestimulando o consumo das famílias e o investimento das empresas, desaquecendo assim a economia. A demanda menor e o desemprego maior se encarregariam de manter salários e preços sob controle.

Mas para controlar a demanda agregada, em tese, a política monetária opera por vários mecanismos distintos. No canal mais conhecido, os juros maiores reduziriam a oferta e a demanda de crédito, desestimulando consumo e investimento. Outros canais envolvem, por exemplo, o corte de incentivos para investir em capital produtivo (dado o retorno maior de títulos que rendem juros) ou para comprar outros ativos financeiros (como ações), o que reduziria os preços desses ativos e a riqueza financeira das famílias. No canal de câmbio convencional, a atração de capital estrangeiro em busca do retorno dos juros maiores aumenta a demanda por moeda nacional (e a oferta de moeda estrangeira), o que aprecia a moeda nacional, desestimulando exportações e estimulando importações.

Se todos esses mecanismos operassem bem, pequenas elevações de juros levariam a um desaquecimento da economia suficiente para manter a inflação sob controle, mesmo que a sua causa original fosse um choque no preço de alimentos, por exemplo. Mas a evidência é de que quase todos os canais convencionais de transmissão da política monetária funcionam mal no Brasil. Primeiro, aumentos ou reduções da taxa de juros básica pelo Banco Central não costumam ser transmitidos com rapidez e na mesma magnitude ao mercado de crédito, onde se cobram taxas ainda mais altas. Além disso, o mercado privado de crédito de longo prazo nunca se desenvolveu no país, o que faz com que a maior parte dos investimentos seja financiada pelo BNDES ou no exterior, com taxas de juros que nada têm a ver com a Selic.

Com esses mecanismos obstruídos, são necessárias grandes elevações da taxa de juros para controlar a demanda agregada. Mas esses problemas acabam nos levando à pergunta Tostines: os juros são altos porque os canais de transmissão da política monetária são obstruídos, ou esses canais são obstruídos porque os juros são altos? Uma pergunta adjacente: será que não existe financiamento de longo prazo porque os juros são altos – uma lacuna que é cumprida pelo BNDES –, ou será que extinguir o BNDES melhorará o efeito da política monetária e permitirá a redução dos juros, como defendem alguns?

Os juros altos parecem estar mais na origem do problema do que o contrário: há inclusive evidência de que quando os juros caíram, os canais convencionais passaram a operar melhor.[10] De todo modo, mesmo que chegássemos a uma conclusão definitiva sobre a causalidade, não seria fácil sair dessa armadilha.

10 Ver artigo de Barboza (2015).

Com esses canais operando de forma insuficiente, mesmo após o fim do câmbio fixo e a adoção do regime de metas de inflação em 1999, o Banco Central continuou atuando sobretudo pelo canal de câmbio, via atração de capital estrangeiro e valorização do real.[11] A chamada âncora cambial, que tinha sido a base do próprio Plano Real, nunca foi totalmente abandonada.

A elevação dos juros funciona para evitar desvalorizações do real e controlar assim a inflação. Reduções drásticas na taxa, ao expulsar investidores estrangeiros, provocam altas do dólar, gerando efeitos inflacionários. Como vimos, essa é uma das razões para o fracasso da tentativa de redução rápida da Selic em 2011.

Um primeiro problema dessa âncora é que, tal como indica o próprio significado da palavra, ela é assimétrica: serve apenas para segurar a inflação. Uma apreciação do real não reduz a inflação tanto quanto a desvalorização do real a acelera, o que tende a fazer com que o Banco Central não reduza os juros quando há tendência de apreciação na mesma magnitude em que eleva os juros quando a tendência é de desvalorização.

A assimetria ocorre porque, quando os custos com importados sobem, as empresas não estão dispostas a perder margens de lucro e acabam repassando os custos maiores para os preços, gerando inflação. O real mais desvalorizado também permite que as empresas exportadoras aumentem seus preços sem perder competitividade frente às concorrentes no mercado internacional. Já quando o real se valoriza, as empresas não têm interesse ou espaço para reduzir preços e/ou comprimir margens de lucro.

Além disso, utilizar a apreciação do real como forma principal de controle da inflação exige, em contextos internacionais desfavoráveis – ou seja, quando não há grande fluxo de capitais especulativos para o país por outros fatores –, que se mantenha

11 Ver artigo de Barbosa-Filho (2008).

a taxa de juros em patamar muito acima do padrão internacional. Em suma, para atrair capital estrangeiro em meio à queda de preços das commodities ou à ameaça de aumento da taxa de juros nos Estados Unidos, por exemplo, mantém-se uma taxa de juros muitíssimo elevada.

Mas por que o real é uma das moedas mais voláteis do mundo e temos de pagar um preço tão alto para mantê-lo estável? A resposta parece estar nas características do nosso mercado de câmbio e no impacto dos movimentos especulativos sobre o real.[12] Estudos sobre o tema apontam para a necessidade de regular o mercado de derivativos e implementar controles simétricos sobre a compra e venda de contratos futuros de dólar para reduzir a volatilidade nos fluxos especulativos de capital. Evidentemente, mudanças desse tipo devem ser feitas em meio a um contexto internacional favorável, de forte entrada de capitais. Caso contrário, uma fuga de capitais poderia inviabilizar a estratégia.

Outras medidas mais estruturais também ajudariam a criar as condições para uma redução da taxa de juros. A desindexação de contratos – de aluguéis, por exemplo, que ainda preveem reajuste automático com base na inflação do ano anterior – é fundamental para reduzir a inércia inflacionária. Essa desindexação deve ser feita justamente em um contexto de inflação mais baixa, quando geraria custos menores e, por isso, enfrentaria menor resistência política.

Como já mencionado no capítulo 1, medidas de estímulo à produtividade também merecem um lugar ao sol, pois aliviam conflitos distributivos. O mesmo vale para o melhor provimento de serviços públicos, que eleva o poder de compra

12 O estudo detalhado de Pedro Rossi (2016) aponta para o impacto dos movimentos especulativos do mercado *offshore* sobre o mercado de derivativos de câmbio e, por meio da arbitragem dos bancos privados brasileiros, sobre o mercado de câmbio à vista.

sem a necessidade de aumentar salários nominais. Aumentos de salários, como vimos, costumam ser repassados para preços – sobretudo em setores intensivos em trabalho que não sofrem concorrência estrangeira, como é o caso dos serviços.

Além disso, algumas características do nosso regime de metas de inflação, por levarem a ações desproporcionais do Banco Central, podem ser revistas. Uma primeira proposta razoável é excluir os chamados preços administrados do índice de inflação utilizado, de modo a evitar o represamento dessas tarifas como forma artificial de combate à inflação. Outra seria considerar sempre a inflação acumulada em doze meses. Atualmente, como a meta é definida para o ano-calendário, o Copom acaba tendo de responder de forma desproporcional a choques que elevem as expectativas inflacionárias para os últimos meses do ano, ainda que avalie que a inflação já esteja convergindo para o centro da meta em um prazo um pouco mais longo.

É evidente que não se pretende negar que pode haver interesses fortes por trás das elevadas taxas de juros brasileiras, que oferecem altos rendimentos de curto prazo para os detentores de títulos públicos e contribuem substancialmente para concentrar a renda no Brasil. No entanto, não se pode reduzir o debate sobre juros a um debate político, desconsiderando que uma redução drástica e rápida da Selic em condições desfavoráveis pode acelerar a taxa de inflação, reduzir o poder de compra dos salários e minar a própria estratégia redistributiva, como ocorreu em 2011.

Além disso, a concentração do setor bancário em poucas instituições e a baixa concorrência entre elas fazem com que mesmo quando há redução da taxa Selic, as taxas de juros que incidem sobre operações de crédito – cheque especial, cartão de crédito e outras formas de financiamento, por exemplo – se mantenham elevadas. A questão dos *spreads* bancários e da falta de concorrência ou regulação do setor financeiro certamente merece espaço nessa agenda.

Sendo o Brasil um país continental e desigual, com grande potencial de expansão do mercado interno, adaptar para cá o modelo de crescimento liderado por exportações adotado em tantos países asiáticos não parece a melhor estratégia. Afinal, para competir com esses países no mercado internacional de manufaturados pouco sofisticados, seria necessária uma desvalorização muito grande do real e, consequentemente, uma redução substancial no poder de compra de nossos salários. Como vimos, desvalorizações do real encarecem produtos importados e são inflacionárias, reduzindo salários reais. Por outro lado, também ficou claro que o modelo baseado na exportação de commodities e de produtos agroindustriais, além do enorme custo ambiental, deixa o país refém da conjuntura internacional e de preços demasiado voláteis.

A melhor opção parece ser, portanto, o fortalecimento do mercado interno com base nos pilares da distribuição de renda e dos investimentos em infraestrutura física e social. O problema é que repetir as diretrizes seguidas no país entre 2006 e 2010 criaria desequilíbrios. Naquele período, o crescimento com base nesses pilares só manteve o controle de preços pela apreciação do real, que, por sua vez, tornava os importados mais baratos, gerando desequilíbrios cada vez maiores na balança comercial. Sem o boom de commodities, que facilitou a acumulação de reservas internacionais e a entrada massiva de capitais, esses desequilíbrios poderiam ter gerado problemas maiores, como uma crise de balanço de pagamentos. Sendo assim, o nível da taxa de câmbio importa para o sucesso da estratégia, mesmo sem ser o seu elemento central.

Diante desse que parece ser um dos maiores dilemas da política econômica, o economista argentino Roberto Frenkel costuma alertar que a melhor forma de evitar os custos da desvalorização do câmbio é manter sua apreciação sob controle. O Brasil errou sucessivas vezes nesse quesito nos últimos tempos. Errou primeiro quando optou nos anos 2000 por manter as altas taxas de juros para atrair capital estrangeiro, sobrevalorizar o câmbio e ancorar dessa forma a inflação, acentuando assim os problemas de competitividade da indústria. Errou também quando não soube aproveitar a desvalorização gerada pela crise internacional de 2008 para manter o câmbio em um patamar mais competitivo nos anos seguintes. Ao contrário, o real apreciou ainda mais com a ajuda da política monetária expansionista dos demais países.

Errou em 2011 quando tentou resolver o problema da sobrevalorização reduzindo a taxa de juros de forma demasiado brusca, contribuindo assim para uma desvalorização rápida. A aceleração da inflação acabou levando o Banco Central a elevar os juros novamente, e o governo, a fim de resgatar a competitividade da indústria, recorreu às desonerações tributárias e ao crédito subsidiado, que se revelaram demasiado custosos para o orçamento. Arcamos então com os malefícios da desvalorização, sem, no entanto, aproveitar seus esperados benefícios, que já seriam menores pela queda no comércio mundial por causa da crise europeia.

Em 2015, tivemos outro momento Frenkel: se os custos de desvalorizar o real viriam de todo jeito, melhor seria ter resistido à tentação de apreciá-lo depois, para, quem sabe, colher os benefícios de um câmbio mais competitivo no futuro.

As medidas anti-inflacionárias e de redução da volatilidade cambial elencadas na seção anterior ajudariam a criar as condições para contornar uma sobreapreciação no futuro. No entanto, esse é apenas um dos requisitos para evitar o acúmulo de desequilíbrios comerciais pela penetração crescente de importações baratas, estando longe de ser suficiente para a diversificação de nossa estrutura produtiva.

Não há experiência histórica de países que tenham conseguido desenvolver setores de alta tecnologia, por exemplo, sem o apoio do Estado. Como mostra o livro[13] *O Estado empreendedor*, da professora Mariana Mazzucato, da University College London, o Vale do Silício resultou de enorme intervenção estatal. Toda a tecnologia do iPhone foi financiada por agências públicas ligadas ao Departamento de Defesa dos Estados Unidos. Lá, o Estado também subsidia pesadamente setores-chave como a produção de carros elétricos e energia solar.

O problema é que a política de desenvolvimento produtivo, assim como todos os demais elementos da política econômica, não deve ser moldada pelo interesse de grupos econômicos específicos, e sim por uma análise dos benefícios gerados para o conjunto da sociedade. Mas o combate à corrupção tampouco deve tornar-se pretexto para uma criminalização da política em si. Apostar em uma política tecnológica estratégica, definida para um longo horizonte de tempo, é também a melhor forma de evitar a influência de grupos de alto poder econômico e a captura do Estado por esses interesses.

No Brasil, o arremedo de política industrial desse período não se voltou para os setores que gostaríamos de desenvolver. A política que existiu acabou garantindo a sobrevivência de setores industriais moribundos – o que pode ter ajudado a preservar empregos, mas não foi capaz de dar continuidade ao processo de crescimento inclusivo que marcou o período do Milagrinho ou de desenvolver setores que preparassem o país para os desafios do século XXI. Em particular, a sustentabilidade ambiental deve ser o eixo central de qualquer política que busque incentivar o surgimento de novos setores e de novas tecnologias.

13 Mazzucato (2014).

5. Dançando com o diabo

No livro *The Moral Consequences of Economic Growth*,[1] Benjamin Friedman, professor de economia política de Harvard, parte de vasta evidência histórica para defender que o crescimento econômico não é um facilitador apenas de melhorias materiais, mas também da liberdade, da tolerância, da justiça e da democracia. A estagnação e a prosperidade mal distribuída, ao contrário, tenderiam a fomentar a violência e o surgimento de ditaduras.

Friedman trata, no entanto, de uma importante exceção à regra. Nos anos 1930, os Estados Unidos conseguiram fortalecer os valores democráticos em meio à Grande Depressão. O autor atribui essa sorte ao New Deal do presidente Roosevelt, que qualifica como uma tentativa de "disseminar a oportunidade econômica o mais amplamente possível". Considera que, evitando a busca de "bodes expiatórios para excluir", o caminho escolhido foi "deliberadamente pluralista e inclusivo", com o objetivo não somente de restaurar a prosperidade econômica, mas de criar maior igualdade de oportunidades.

Ao destoar do *establishment*, o caráter antiglobalização do discurso de Donald Trump nos Estados Unidos teve forte apelo junto a uma parte da classe trabalhadora – em sua maioria branca – que vinha sofrendo há mais de três décadas com os efeitos da desindustrialização, da ampliação das desigualdades e do aumento da pobreza rural no país.

1 Friedman (2005).

A crise de 2008 certamente deu força ao fenômeno. Em parte pela elevação do desemprego, mas sobretudo pelo caráter simbólico do vultoso programa de resgate que salvou da quebra os principais atores do sistema financeiro, sem que houvesse punição severa para os responsáveis pelo colapso. Apesar da necessidade concreta de conter o caos, o que grande parte da população norte-americana enxergou foi uma conspiração das elites para salvar alguns de seus membros, que rapidamente voltaram a receber altos bônus de final de ano, enquanto a classe trabalhadora ainda sofria com a perda de empregos e a queda no valor de suas casas.

As contradições evidentes fizeram eclodir, ao mesmo tempo, o movimento Occupy Wall Street, que tomou as ruas de Nova York com o slogan "Nós somos os 99%", e o Tea Party, personificado no conservadorismo retrógrado de Sarah Palin. A força da candidatura de Bernie Sanders nas primárias eleitorais de 2016 pode ser vista como um reflexo do primeiro movimento, que questiona o sistema econômico em vigor por suas consequências nefastas sobre as desigualdades de renda. Já a resposta anti-imigratória dada à época pelo Tea Party pode ter ampliado o apoio à candidatura de Trump.

Em entrevista sobre o Brexit,[2] após discorrer sobre os danos econômicos causados pelo desenho institucional da União Europeia, Mark Blyth, professor de ciência política na Universidade Brown, foi cortante: "Mas não é disso que se trata. É trumpismo. Todos têm sua própria versão". Segundo Blyth, de Gerhard Schröder na Alemanha a Tony Blair no Reino Unido, os governos de centro-esquerda dos últimos 25 anos teriam deixado de prover "o abraço caloroso da social-democracia". Em vez da solidariedade com a classe trabalhadora, teriam adotado políticas de exclusão e policiamento da população mais pobre em

2 https://www.youtube.com/watch?v=Bkm2Vfj42FY

nome da segurança dos mais ricos em suas vizinhanças e escolas particulares. Nas escolas públicas, para as quais as elites já não querem pagar impostos, estão relegados os que estão na base da distribuição da renda. Após vinte anos de exclusão, o discurso de que a globalização acabaria compensando a todos igualmente teria perdido a eficácia, o que causou revolta na classe trabalhadora. Não contra a União Europeia, e sim contra o 1% mais rico da população. A migração de votos do democrata Bernie Sanders para o republicano Trump ou o apoio ao Brexit pelos mais vulneráveis na economia inglesa podem indicar que estamos, como nos anos 1930, à sombra de um vulcão.

Em artigo na Bloomberg[3] após a aprovação do Brexit no Reino Unido, a jornalista Megan McArdle já alertava para um episódio que também pode ajudar a explicar o fenômeno. Segundo McArdle, a julgar pelos comentários nas redes sociais logo após a divulgação do resultado do plebiscito, jornalistas e acadêmicos acharam que era a hora de reforçar a ideia de que as pessoas que se opuseram a abrir fronteiras eram racistas ignorantes prontas a acreditar em qualquer coisa que lhes dissessem. "Considerando o quão fracassada foi essa estratégia, pareceu um momento estranho para dobrar a aposta", concluiu a jornalista.

A arrogância dos sábios parece estar na origem de grande parte da tragédia a que assistimos desde a crise de 2008. A alienação dos discursos políticos e das soluções implementadas com relação aos problemas concretos enfrentados pela população – a renda baixa, o desemprego, o emprego precário, o endividamento crescente e a falta de acesso à educação, saúde, moradia e transporte de qualidade – tem sido um prato cheio para o crescimento de alternativas retrógradas.

3 https://www.bloomberg.com/view/articles/2016-06-17/britain-s-elites-ignore-the-masses-at-their-peril

Dani Rodrik, professor de economia política na Harvard Kennedy School, reforçou essa tese em um artigo publicado em 18 de julho de 2016 no jornal *Valor Econômico*,[4] e foi além: "A economistas e tecnocratas de esquerda cabe grande parte da culpa [...], cederam muito facilmente ao fundamentalismo de mercado e incorporaram seus princípios centrais".

No paradoxo apontado pelo economista, "ondas anteriores de reformas de esquerda – keynesianismo, social-democracia, Estado de bem-estar – salvaram o capitalismo de si mesmo e na prática tornaram-se, a si mesmas, supérfluas". Algumas décadas depois, após o evidente fracasso da hiperglobalização – muitas vezes aprofundada por governos ditos social-democratas – em solucionar conflitos inerentes ao capitalismo, Rodrik defende uma nova resposta econômica programática da esquerda como única saída para sanar as divisões na sociedade. "A boa notícia é que o vácuo intelectual da esquerda está sendo preenchido, e não há mais nenhuma razão para acreditar na tirania do 'não há alternativas'", conclama.

Economistas progressistas de dentro e de fora do *mainstream* vêm trabalhando em propostas cada vez mais radicais, algumas das quais foram incorporadas até mesmo na plataforma de Hillary Clinton, graças à força adquirida pela candidatura de Sanders nas primárias norte-americanas.

No Brasil, retrocessos negociados entre quatro paredes e escondidos sob o véu da técnica ainda são o caminho escolhido por grande parte dos analistas e da classe política que governa. A leitura parece ser a de que se aproveitar da aflição das pessoas com a gravidade da crise para enfiar-lhes medidas antidemocráticas goela abaixo não terá consequências mais dramáticas no futuro. Em um país com fissuras sociais tão profundas e que nunca deixou de apresentar altos índices de violência, imaginar

4 www.valor.com.br/opiniao/4637295/abdicacao-da-esquerda

que a perda de direitos e uma piora no padrão de vida passarão despercebidas é multiplicar por mil o *wishful thinking* que se abateu sobre a elite intelectual norte-americana e inglesa.

É claro que o caos social e o crescimento de forças conservadoras passam longe do que desejam os sábios tupiniquins, que lamentaram tanto a vitória de Trump quanto a de Marcelo Crivella na prefeitura do Rio de Janeiro. Entretanto, assim como os experts identificados por Megan McArdle no "pós-Brexit", continuam dobrando a aposta. Analistas e políticos da centro-esquerda parecem obstinados em tentar convencer as pessoas do que elas deveriam querer, em vez de viabilizar suas demandas.

Ainda que hipóteses históricas nunca sejam universais, como apontou o historiador Alexander Gerschenkron (1962), a opção por não realizar uma reforma tributária e por abandonar os investimentos públicos em prol da implementação de políticas recessivas e excludentes - no governo Dilma Rousseff e, mais ainda, em um governo Temer sem legitimidade - parece, no caso brasileiro, nos tirar do caminho da exceção à regra e nos colocar na espiral descendente do aumento da intolerância e do enfraquecimento da democracia.

Se a tecnocracia desconectada da sociedade não é um bom caminho para enfrentar as abstenções nas urnas e os monstros em ascensão, a eleição de líderes carismáticos sem programa de governo tampouco soa como solução. Uma alternativa parece ser a construção de candidaturas que dialoguem com as demandas concretas dos que ainda sofrem, em todo o mundo, as consequências da crise econômica e das desigualdades crescentes. Abrir a política institucional para a participação mais efetiva da sociedade é o primeiro passo.

Bibliografia

AFONSO, J. R.; Pinto, V. C. (2014) "Composição da desoneração (completa) da folha de salários". *Texto para discussão*, n. 41, IBRE-FGV. Disponível em: <http://www.joserobertoafonso.com.br/attachment/5784>.

AZEVEDO, P. F.; SERIGATI, F. C. (2015) "Preços administrados e discricionariedade do Executivo". *Revista de Economia Política*, v. 35, n. 3. Disponível em: <http://www.scielo.br/scielo.php?script=sci_arttext&pid=S0101-31572015000300510#aff1>.

BARBOSA-FILHO, N. (2008) "Inflation targeting in Brazil: 1999-2006". International Review of Applied Economics, v. 22, n. 2, pp. 187-200.

BARBOZA, R. (2015) "Taxa de juros e mecanismos de transmissão da política monetária no Brasil". *Revista de Economia Política*, v. 35, n. 1, pp. 133-155.

BARROS, R. P. D. et al. (2007) "O papel das transferências públicas na queda recente da desigualdade de renda brasileira". In: BARROS, R. P. D. et al. *Desigualdade de renda no Brasil: uma análise da queda recente*. Brasília: Ipea, vol. 2, pp. 41-86.

BECKETT, K.; WESTERN, B. (2001) "Governing Social Marginality: Welfare, Incarceration, and the Transformation of State Policy". *Punishment & Society*, vol. 3, n. 1.

CALDERÓN, C.; SERVÉN, L. (2010) "Infrastructure in Latin America". *Policy Research Working Paper* n. 5317, The World Bank. Disponível em: <https://openknowledge.worldbank.org/bitstream/handle/10986/3801/WPS5317.pdf>.

CARVALHO, L. (2010) *Diversificação ou especialização: uma análise do processo de mudança estrutural da indústria brasileira nas últimas décadas*. Rio de Janeiro: Banco Nacional de Desenvolvimento Econômico e Social.

DARDOT, P.; LAVAL, C. (2016) *A nova razão do mundo: ensaio sobre a sociedade neoliberal*. São Paulo: Boitempo.

DOS SANTOS, C. H. et al. (2015) "Por que a elasticidade-câmbio das importações é baixa no Brasil? Evidências a partir das desagregações por categoria de uso". *Texto para Discussão*, n. 2046. Brasília: Ipea.

_____. (2016) "Revisitando a dinâmica trimestral do investimento no Brasil: 1996-2012". *Revista de Economia Política*, vol. 36, pp. 190-213.

DWECK, E.; TEIXEIRA, R. (2017) "A política fiscal do governo Dilma e a crise econômica". *Texto para Discussão*, n. 303. Campinas: IE/Unicamp. Disponível em: <http://www.eco.unicamp.br/docprod/downarq.php?id=3532&tp=a>.

FMI (2015a) "Fiscal Multipliers for Brazil". In: IMF *Country Report*, n. 15. Disponível em: <https://www.imf.org/external/pubs/ft/scr/2015/cr15122.pdf>.

FMI (2015b) "Filling the Gap: Infrastructure Investment in Brazil". In: *IMF Country Report*, n. 15. Disponível em: <https://www.imf.org/external/pubs/ft/scr/2015/cr15122.pdf>.

FMI (2017) "Fostering Inclusive Growth". In: *IMF Note*, G20 Leader's Summit July 7-8. Disponível em: <https://www.imf.org/external/np/g20/pdf/2017/062617.pdf>.

FRIEDMAN, B. (2005) *The Moral Consequences of Economic Growth*. Nova York: Random House.

GERSCHENKRON, A. (1962) *Economic Backwardness in Historical Perspective, a Book of Essays*. Cambridge, Massachusetts: Belknap Press of Harvard University Press.

GIOVANNETTI, L. (2013) *Inflação de serviços no Brasil: pressão de demanda ou de custos?* Dissertação de mestrado. São Paulo: Escola de Economia de São Paulo/Fundação Getúlio Vargas.

HOFFMANN, R. (2006) "Transferências de renda e a redução da desigualdade no Brasil e cinco regiões entre 1997 e 2004". *Revista Econômica*, vol. 8, n. 1, pp. 55-81.

_____. (2013) "Transferências de renda e desigualdade no Brasil (1995-2011)". In: CAMPELLO, T.; NERI, M. C. *Programa Bolsa Família: uma década de inclusão e cidadania*. Brasília: Ipea, pp. 207-16.

IRWIN, T. (2012) "Accounting Devices and Fiscal Illusions". In: *IMF Staff Discussion Note*. Disponível em: <https://www.imf.org/external/pubs/ft/sdn/2012/sdn1202.pdf>.

KOMATSU, B. (2013) *Salário mínimo, desigualdade e informalidade*. Dissertação (Mestrado em Teoria Econômica). São Paulo: FEA-USP. Disponível em: <doi:10.11606/D.12.2013.tde-26032014-194017>.

MARTINS, G. K. (2017) *Lucratividade, desenvolvimento técnico e distribuição funcional: uma análise da economia brasileira entre 2000 e 2013*. Dissertação (Mestrado em Teoria Econômica). São Paulo: FEA-USP.

MAZZUCATO, M. (2014) *O estado empreendedor: desmascarando o mito do setor público x setor privado*. São Paulo: Portfolio-Penguin.

MEDEIROS, M. et al. (2015) "Topo da distribuição de renda no Brasil: primeiras estimativas com dados tributários e comparação com pesquisas domiciliares (2006-2012)". *Dados*, vol. 58, n. 1, pp. 7-36.

MORGAN, M. (2017) "Extreme and Persistent Inequality: New Evidence for Brazil Combining National Accounts, Surveys and Fiscal Data, 2001-2015". *WID Working Paper Series.*

ORAIR, R. (2015) "Desonerações em alta com rigidez da carga tributária: o que explica o paradoxo do decênio 2005-2014?". *Texto para Discussão*, n. 2117. Rio de Janeiro: Ipea. Disponível em: <http://www.ipea.gov.br/portal/images/stories/PDFs/TDs/td_m2117.pdf>.

____. (2016) "Investimento público no Brasil: trajetória e relações com o regime fiscal". *Texto para Discussão*, n. 2215. Rio de Janeiro: Ipea. Disponível em: <http://www.ipea.gov.br/portal/images/stories/PDFs/TDs/td_2215.pdf>.

ORAIR, R.; GOBETTI, S. (2016) "Progressividade tributária: a agenda negligenciada". *Texto para Discussão*, n. 2190. Rio de Janeiro: Ipea. Disponível em: <http://www.ipea.gov.br/portal/images/stories/PDFs/TDs/td_2190.pdf>.

____. (2017) "Resultado primário e contabilidade criativa: reconstruindo as estatísticas fiscais 'acima da linha' do governo geral". *Texto para Discussão*, n. 2288. Brasília: Ipea. Disponível em: <http://www.ipea.gov.br/portal/images/stories/PDFs/TDs/td_2288.pdf>.

OSTRY, J. et al. (2016) "Neoliberalism: Oversold?". *IMF Finance and Development.* Disponível em: <https://www.imf.org/external/pubs/ft/fandd/2016/06/pdf/ostry.pdf>.

PADRÓN, A. et al. (2015) "Por que a elasticidade-preço das exportações é baixa no Brasil? Novas evidências desagregadas". In: *Brasil e desenvolvimento: Estado, planejamento e políticas públicas*. Brasília: Ipea, pp. 15-42.

PIRES, M. (2014) "Política fiscal e ciclos econômicos no Brasil". *Economia Aplicada*, Ribeirão Preto, vol. 18, n. 1, pp. 69-90.

ROSSI, P. (2016) *Taxa de câmbio e política cambial no Brasil: teoria, institucionalidade, papel da arbitragem e da especulação*. Rio de Janeiro: FGV Editora.

RUGITSKY, F. (2015) "Milagre, miragem, antimilagre: a economia política dos governos Lula e as raízes da crise atual". *Revista Fevereiro*, n. 25. Disponível em: <http://www.revistafevereiro.com/pag.php?r=09&t=03>.

SCHETTINI, B. P. et al. (2012) "Novas evidências empíricas sobre a dinâmica trimestral do consumo agregado das famílias brasileiras no período 1995-2009". *Revista Economia e Sociedade*, vol. 21, n. 3, pp. 607-41.

SINGER, A. (2015) "Cutucando onças com varas curtas: o ensaio desenvolvimentista no primeiro mandato de Dilma Rousseff (2011-2014)". *Novos Estudos Cebrap*, n. 102.

SOARES, S. et al. (2010) "Os impactos do benefício do Programa Bolsa Família sobre a desigualdade e a pobreza". In: CASTRO, J. A.; MODESTO, L. (orgs.). *Bolsa Família 2003-2010: avanços e desafios*, vol. 2. Brasília: Ipea.

TAVARES, M. C.; SERRA, J. (1971/1976) "Além da estagnação". In: TAVARES, M. C. *Da substituição de importações ao capitalismo financeiro: ensaios sobre economia brasileira*. 5. ed. Rio de Janeiro: Zahar, pp. 155-207.

WACQUANT, L. (1999) *As prisões da miséria*. Paris: Raisons d'Agir.

WILKINSON, R.; PICKETT, K. (2010) *The Spirit Level: Why Greater Equality Makes Societies Stronger.* Nova York: Bloomsbury Press.

Grafia atualizada segundo o Acordo Ortográfico da Língua Portuguesa de 1990, que entrou em vigor no Brasil em 2009.

capa
Elaine Ramos
preparação
Ana Cecília Agua de Melo
checagem
Luiza Miguez
revisão
Livia Azevedo Lima
Ana Alvares

3ª reimpressão, 2018

Dados Internacionais de Catalogação na Publicação (CIP)

——

Carvalho, Laura (1984-)
Valsa Brasileira: Do boom ao caos
econômico: Laura Carvalho
São Paulo: Todavia, 1ª ed., 2018
192 páginas

ISBN 978-85-93828-62-1

1. Economia 2. Economia brasileira 3. Ensaio
4. Macroeconomia I. Título

CDD 330.1

——

Índices para catálogo sistemático:
1. Economia: Economia brasileira 330.1

todavia
Rua Luís Anhaia, 44
05433.020 São Paulo SP
T. 55 11. 3094 0500
www.todavialivros.com.br

fonte
Register*
papel
Munken print cream
80 g/m²
impressão
Geográfica